Riad Sattouf

La vie secrète des jeunes II

L'Association

Les planches de cet ouvrage sont toutes parues dans Charlie Hebdo *entre 2007 et 2010.*
Merci à Charlie Hebdo.

La vie secrète des jeunes

Riad Sattouf

La vie secrète des jeunes

VU ET ENTENDU À PARIS, DANS LE MÉTRO, LIGNE 9...

Hiiiiii !

Hii iiiiiiiiiii!!!

ALOOOORS LA DISPARUE ! LA DISPARUE ! JE SUIS AU COURANT : RACONTE !!!

BON, J'TE LA FAIS COURTE : VOUS ÉTIEZ EN TRAIN DE DANSER SUR LA PISTE, À UN MOMENT J'VAIS PISSER. LÀ, J'SORS DES CHIOTTES, J'VOIS UN MEC QUI VIENT D'SE LAVER LES MAINS, QUI CHERCHE UN TRUC POUR S'ESSUYER. JE LE REGARDE ET J'FAIS...

"FAUT FAIRE COMME ÇA POUR S'ESSUYER."

Hiiiii

IL ME FAIT "SOUPER, YÉ PEUX ?" ET IL TEND SA MAIN VERS MON CUL ! J'LUI DIS : "EUH NAN, ON S'CONNAÎT PAS ENCORE."

Hiiiii !

IL ME FAIT : "ENYANTÉ, EDOUALDO."

Hiiii

APRÈS, ON REMONTE, ON S'CASSE, ON VA CHEZ MOI, ET APRÈS : CLASSÉ X !

Hiiiiiiii

Riad Sattouf

La vie secrète des jeunes
VU ET ENTENDU À VALLOIRE, EN SAVOIE...
DESCENDS !
HEYYY MAMAN ELLE A DIT FAUT FAIRE ATTENTION
HEY DESCENDS TU VAS TOMBER
DESCENDS
? ? ?
HEUUUU
Riad Sattouf

La vie secrète des jeunes
VU ET ENTENDU À PARIS DANS LE MÉTRO, LIGNE 9...
MOI, C'EST RATÉ, SÛR, SÛR ET CERTAIN.
OUI, MOI AUSSI, LA CATASTROPHE...
LA DEUX ? ON L'AVAIT PAS VUE LA DEUX... JE SAVAIS MÊME PAS DE QUOI ÇA POUVAIT PARLER...
HAAAAN... LA DEUX... LA DEUX...
RIEN...
LA PROF, À LA FIN, ELLE FAIT : "RENDEZ-MOI LES COPIES"... ET LÀ, MA MAIN DROITE COMMENCE À TREMBLER, J'ARRIVE PLUS À RESPIRER, J'AI LES PIEDS GLACÉS...
JE ME DIS : " DU CALME MA BELLE T'AS ENCORE 30 SECONDES." ET LÀ, J'L'AVAIS PAS VUE, MAIS ELLE ÉTAIT JUSTE DERRIÈRE MOI, ELLE ME DIT : " BAYOLE, C'EST FINI." LÀ, JE SENS, JE SENS QUE JE VAIS ME METTRE À PLEURER, JE LE SENS, ALORS JE LUI TENDS MA COPIE...
MA COPIE, ELLE TREMBLAIT, COMME ÇA, J'ENTENDAIS MON COEUR DANS MES OREILLES, LA PROF PREND LA COPIE, ET MOI, IMPOSSIBLE DE LA LÂCHER, JE LA SERRE EN TREMBLANT, ELLE ME L'ARRACHE ET ME DIT : " C'EST FINI "... C'EST LÀ QUE J'AI PLEURÉ, C'EST SORTI D'MON VENTRE...
HAN-HAN.
Riad Sattouf

La vie secrète des jeunes
VU ET ENTENDU DANS UN CAFÉ À BASTILLE, À PARIS...
DE KOI LA DÉMOKRASSIE ? C'EST D'LA MERDE LA DÉMOKRASSIE J'ME TORCHE AVEC...
ATTIIIINDS TU PEUX PAS DIRE ÇAAAA...
D'OÙ J'PEUX PAS DIRE ÇA ? D'OÙ ? D'LA MERDE ET VOILÀ.
DÉMOKRASSIE ET LIBERTÉ D'ESPRESSION : MON CUL, C'EST UN TRUC DE BLANCS ET BASTA, C'EST PASSQUE T'ES BLANCHE QUE TU DÉFENDS ÇA C'EST TOUT, T'ES ÉDUQUÉE POUR ÇA ET C'EST D'LA MERDE
MAIS PAS DU TOUT, J'ME SENS PAS BLANCHE, DÉSOLÉE.
J'T'ESPLIK : AU MOYEN-ORIENT, LES RABZAS Y FONT SANS LA DÉMOKRASSIE, SANS LA LIBERTÉ D'ESPRESSION DE MONTRER DES PUTES SUR LES AFFICHES, ET TOUT L'MONDE EST HEUREUX ET VOILÀ, SAUF QUE LÉ BLANCS, Y SUCENT LE FRIC DES ARABES, RÉSULTAT C'EST LA GALÈRE LÀ-BAS, TOUT L'MONDE DIT : "OUAIS C'EST LA GALÈRE PASSQUE Y A PAS LA DÉMOKRASSIE" MAIS MON CUL, C'EST LA GALÈRE PASSQUE LES RICAINS SUCENT LE FRIC DES RABZAS...
UN MODÈLE KI MARCHE : LA CHINE. Y Z'ONT PAS LA DÉMOKRASSIE, PAS LA LIBERTÉ D'ESPRESSION, MAIS PERSONNE SUCE LEUR FRIC, TOUT L'MONDE EST CONTENT !
OUAIS MAIS ATTIIIINDS BONJOUR LES DROITS DE L'HOMME EN CHINE...
MAIS NIQUE SA MÈRE TES DROITS DE L'HOMME, NIQUE SA MÈRE TES TRUCS DE BLANCS, ÇA SERT À KOI ? DIS ? VAZI ?
BEN EUH LA LIBERTÉ CHAIS PAS EUH...
OUAIS BEN PARLE PAS SI TU SAIS PAS ALORS.
PARLE PAS.
HEY, T'SAIS KOI, MOI, CHUIS LA FRANSSE D'EN BAS T'VOIS, ET LA FRANSSE D'EN BAS, ELLE EST D'ACCORD AVEC MOI, ÇA VA S'RÉVEILLER, ON VA LES ACCROCHER AUX LAMPADAIRES CES PUTES DE BLANCS KI SUCENT...
NAN MAIS LÀ TU VAS TROP LOIN NABIL.
COUCOUUUU
HEY ! ALORS STÉPHANIE, NABIL, NABIL, STÉPHANIE.
ENCHANTÉE, RAVIE DE TE VOIR ENFIN !!!
SALUT.
Riad Sattouf

La vie secrète des jeunes
VU ET ENTENDU RUE DES FRANCS-BOURGEOIS À PARIS.
CONcombre CONcombre
HiHiHi
Toi ET MOi, ON A UN BON CONtact !
PFHiHiiiHiiHi !
ET ON ADOOOORE LES CONcombres
JE CONprends Hihi
ON POURRAIT BOIRE UN CONcktail ?
PFMUHiHiHiiiii
COCKTAIL PAS CONCKTAIL
C'EST BOOOON C'EST BON ON A COMPRIS LES FILLES PITIÉÉÉ...
HARH ! HARH !
MUHiiHiii
ELLE A CONpris HiHiHi
MAMAN ? T'ES CON
TENTE OU PAS ? DE NOUS ? HEIN MAMAN ?
PFFHiHiHi
Riad Sattouf

La vie secrète des jeunes
VU ET ENTENDU DANS LE MÉTRO, LIGNE 9, À PARIS
NAN MAIS TOUT LE TEMPS, TOUT LE TEMPS, JE TE JURE, TOUT LE TEMPS.
JE RENTRE, CHUIS CREVÉE, JE RETIRE MES CHAUSSURES, C'EST COMME SI J'ME DÉSHABILLAIS, IL ME SAUTE DESSUS.
LITTÉRALEMENT.
LITTÉRALEMENT.
NON MAIS J'DIS PAS QUE C'EST PAS MIGNON MAIS À CE NIVEAU C'EST UN PEU TROP MIGNON TU VOIS... OUI BEN POUR ME SENTIR AIMÉE J'ME SENS AIMÉE OUI.
DES FOIS... MAIS TOUT LE TEMPS! TOUT LE TEMPS! ÇA PEUT ALLER À DEUX OU TROIS FOIS PAR SOIR... NAN MAIS JE SAIS... JE SAIS MAIS IL S'EN FOUT QUE J'EN AI ENVIE OU PAS, ÇA A RIEN À VOIR...
JE DIS : ÇA A RIEN À VOIR
BIN NON NON NON... AU DÉBUT C'ÉTAIT NORMAL, ATTENDS J'AURAIS PAS TENU 4 ANS À CE RYTHME ÇA VA PAS? NON MAIS RIGOLE PAS... RIGOLE PAS...
JE SAIS PAS C'QU'IL S'EST PASSÉ, JE TE JURE, UN JOUR, C'ÉTAIT COMME ÇA. IL EST RENTRÉ DU TAF ET VOILÀ. IL A DÛ S'PASSER UN TRUC DANS SA VIE MAIS CHUIS PAS AU COURANT...
BIN OUI QUAND J'DIS NON OU QUE J'LE R'POUSSE IL EST TOUT TRISTE, IL PARLE PLUS Y M'REGARDE, ÇA FAIT TROP TROP PITIÉ.
EN PARLER? IMPOSSIBLE, DÈS QUE J'ABORDE LE SUJET ÇA L'EXCITE, NON MAIS C'EST PSYCHIATRIQUE, J'SAIS PAS QUOI FAIRE C'EST PSYCHIATRIQUE.
Riad Sattouf

La vie secrète des jeunes
VU ET ENTENDU À PARIS, DANS LE MÉTRO, STATION OBERKAMPF.
TIK
NAN.
NAN.
ANAN.
TIK
TIK
TIK
NAN
HNNNN
A
KRAK
HAAHHHH
Riad Sattouf

La vie secrète des jeunes
VU ET ENTENDU DANS LE BUS, LIGNE 37, À PARIS...
CÉ LAKELLE? CÉ LAKELLE TA FEUMEU? C'EST CELLE DU MILIEU? CÉ LAKELLE?
NAN CÉ MÉ KOUZINES
PASSE, CÉ APRÈS, PASSE
ET LÀ? CÉ ELLE TA FEUMEU À CÔTÉ D'HICHEM? CÉ ELLE?
NAAAN ÇA CÉ MÉ ZAUTRES KOUZINES
CÉ OÙ TA FEUMEU? TA FEUMEU CÉ OÙ?
PASSE CÉ APRÉ
CÉ ELLE TA FEUMEU?
CÉ ELLE AU MILIEU CÉ ELLE
WOUALLAH C'EST BIEN. CÉ BIEN. WOUALLAH FRANCHEMENT J'TEU FÉLISSITE. CÉ TA KOUZINE?
OUAIS CÉ LA FILLE DEU MON ONKLE
WOUALLAAAAH MABROUK. ELLE VIENT KAN EN FRANSSE? ELLE EST AU BLED?
CÉ KAN LE MARIACHE?
PATOUSSUITE PATOUSSUITE
PATOUSSUITE
PUTARD PUTARD ELLE VIENDRA, PATOUSSUITE, QUAND JE BOSSERAI MON FRÈRE, PATOUSSUITE
WOUALLAH CÉ KI ÇA? CÉ KI CÉ DÉ BLANCHES AU BLED?
ÇA CÉ MARSEILLE T'SÉ KAN ON EST R'VENU DU BLED AVEC HICHEM C'EST DÉ MEUFS KON A GÉRÉES, ON LES A GÉRÉES, 18 ANS, ON LES A GÉRÉES.
TAIN LA BLONDE WALLAAH LA PUUTE!
ON LÉ ZA GÉRÉES.
MON FRÈRE, 18 ANS, TROIS MEUFS TRUC DEU OUF GENRE CELLE AVEK LÉ GROS EINSSES T'JOURS ELLE FEZÉ "J'TE PARIE J'TE MONTRE MES EINSSES DANS LA BOÎTE" TRUC DE OUF
WALLAH HICHEM COMMENT IL LA GÈÈÈRE SUR CELLE-LÀ!
TRUC DE OUF CELLE D'HICHEM SUR LA VIE D'MA MÈRE ELLE AVAIT 16. TÉMA: ELLE FAIT 16.
ELLE FÉ JEUNE WALLAH
Riad Sattouf

La vie secrète des jeunes
VU ET ENTENDU DANS LE MÉTRO, LIGNE 9, À PARIS... CETTE FEMME S'ASSIED EN FACE DE MOI ET ME FIXE.
5 MINUTES PLUS TARD, ELLE ME FIXE TOUJOURS.
JE M'APPRÊTE À CHANGER DE PLACE QUAND...
BARACK OBAMA HI HI HI...
BARACK OBAMA DANS SA CUISIIIINE... HEIN? TU VOIS C'QUE J'VEUX DIIIIRE?
PFFAHIHIHAAAAÁÁ
IL FAIT DES RONDS DANS LE CIEEEL AVEC SON HÉLICOPTÈRE
SOUDAIN SON PORTABLE SONNE. SON EXPRESSION CHANGE COMPLÈTEMENT, ELLE DÉCROCHE.
OUAIS... J'ARRIVE DANS DEUX STATIONS
OK J'ACHÈTE UNE BOUTEILLE...
BLANC ÇA VA?
OK BISOUS.
ELLE DESCEND À SA STATION.
Riad Sattouf

La vie secrète des jeunes
VU ET ENTENDU À PARIS, DANS LE BUS, LIGNE 38...
REGARDE C'QU'IL A DANS LA MAIN LE MEC LÀ-BAS.
LA VACHE !
UN BILLET DE 50... T'EN AS TOI ?
MOI J'AI ÉCONOMISÉ UNE CENTAINE D'EUROS.
UNE CENTAINE ?
CHUT... C'EST COMME SI J'AVAIS DEUX BILLETS DE 50...
MAIS COMMENT T'AS AUTANT D'ARGENT ?
J'GARDE TOUT C'QUE MA MÈRE ME DONNE, QUAND J'ACHÈTE LE PAIN, ELLE ME FILE LA PETITE MONNAIE...
AVEC LE TEMPS, ÇA FAIT UNE CENTAINE D'EUROS.
JAMAIS J'AURAIS ÇA MOI...
FAIS COMME MOI, PERSONNE LE SAIT QUE J'AI CETTE CENTAINE...
C'EST PARCE QUE J'AI UNE IDÉE. J'VEUX AVOIR DE L'ARGENT SI J'VAIS EN AMÉRIQUE.
TU VAS EN AMÉRIQUE ?!?
NAAAN... MAIS ON SAIT JAMAIS.
EN AMÉRIQUE, L'ARGENT EST MOINS CHER. ÇA VEUT DIRE QU'AVEC CENT EUROS LÀ-BAS, C'EST COMME SI J'AVAIS MILLE TU VOIS...
NAAAAN ?!?
SI.
LÀ-BAS, UN BOOSTER ÇA VAUT 50 CENTIMES, Y A DES PLANCHES DE SKATE À 10 EUROS, LES JEUX PSP NEUFS ONT LE MÊME PRIX QUE L'OCCAZE ICI... EN AMÉRIQUE AVEC UNE CENTAINE D'EUROS, T'ES RICHE.
HAAAAN !
Riad Sattouf

La vie secrète des jeunes
VU ET ENTENDU DANS LE MÉTRO À PARIS, LIGNE 3...
AHMED! AHMED TÉMA LÀ-BAS QUAND ON EST MORT TÉMA
BRIAN!
?
DE KOI? C'EST KI? HEIN?
C'EST NOUS ON S'RA KOM ÇA APRÈS ON VA MOURiiiiR
AHMED.
HO!
ON S'RA DÉ VIEUX R'GARDE THANIA R'GARDE LA VIEILLE TU VAS MOURiiiR
JÉ RIN FÉ
SUPER OUAIS. TU PEUX PARLER AILLEURS? MERCI
ON VA D'VENIR TOUT GRIS VIEUX AVEK LE DOS TORDU ÇA-KOM
ET APRÉ ON VA MOURiiiiR!
BRIAN
TU LA METS EN SOURDINE UN PEU MERCI
AHMED TU T'ASSOIS AHMED
HEY MÂDÂME MÂDÂME
KESKYA?
HAA
MÂDÂME VOUS AUSSI VOUS SERÉ VIEILLE ET VOU ZALÉ MOURIR?
ON EN PARLERA PLUS TARD TU LA METS EN SOURDINE MERCI
Riad Sattouf

La vie secrète des jeunes

VU ET ENTENDU À PARIS DANS LE 11E ARRONDISSEMENT...

HO! LA VOITURE!?

?

HEIN ?

TU T'APPUIES PAS SUR LA VOITURE

MAIS C'EST LA MIENNE J'FAIS C'QUE J'VEUX

POURQUOI VOUS M'TUTOYEZ ?

ALLEZ OKAY FAIS VOIR TES PAPIERS

OKAY ALLEZ

TU T'POUSSES DE LÀ, ALLEZ

ALORS ?

OUAIS C'EST LA SIENNE

TIENS TOI

Riad Sattouf

La vie secrète des jeunes
VU ET ENTENDU À PARIS, DANS LE MÉTRO, LIGNE 5...
NON MAIS C'EST PAS QU'IL EST LAID C'EST QU'IL EST PHYSIQUEMENT ANTIPATHIQUE.
EUH T'ES GENTIL, IL EST LAID, POINT.
MAIS LA PREMIÈRE FOIS QUE JE L'AI VU J'AI FAIT : "HAAAN OK C'EST SUPER OUVERT COMME BOÎTE"!..
MOI PAREIL, J'AI EU TU SAIS HIIIN LA MADELEINE DE PROUST DE LA PROVINCE, GRENOBLE TU VOIS...
C'EST FOU QUAND MÊME, T'AS DES CLIENTES J'ME DIS C'EST UN RISQUE QU'ELLES LE VOIENT NAN?
HO NON SON JEAN, IL A TOUJOURS SON JEAN... TOUT À FAIT EN ACCORD AVEC LA NOUVELLE COLLECTION...
ET SA PEAU J'LE REGARDE, CHUIS AU LYCÉE OU PIRE J'VOIS MA TÉLÉCOMMANDE MAIS MERDE LE DERMATO MEC.
KH KH "EUH, FAIS KEK CHOSE T'AS DES ROUGEURS"
J'TROUVE ÇA FOU, Y A 10 ANS MAIS IL RENTRAIT MÊME PAS À L'ACCUEIL DE L'ATELIER...
TU M'ÉTONNES, ON LUI OFFRAIT SON BILLET POUR GRENOBLE, RETOUR SIMPLE...
MARIE LE TROUVE BIEN HEIN ALORS SI MARIE LE TROUVE BIEN KESSTUVEUX FAIRE.
T'AS EU DES BOUTONS TOI?
HEIN? ÇA VA PAS JAMAIS C'EST IGNOBLE.
MOI J'AI EU DES CRÈMES.
HAN MON PAUVRE PASSE-LUI LES RÉFÉRENCES VITE.
Riad Sattouf

La vie secrète des jeunes
VU ET ENTENDU DANS UN CAFÉ, À PARIS, RUE DUPETIT-THOUARS...
...MAIS BAISE-LE PUTAIN...
QU'EST-CE QUE T'EN AS À FOUTRE? SI T'EN MEURS D'ENVIE, BAISE-LE. MAIS FAUT FAIRE ÇA BIEN : SURTOUT LE DIRE À PERSONNE, ET NIER TOUJOURS SI JAMAIS QUELQU'UN LE DÉCOUVRE.
OUAIS MAIS J'AI PEUR DE PAS ÊTRE DISCRÈTE...
T'AS PEUR QU'INCONSCIEMMENT TU FASSES TOUT POUR QUE SEB L'APPRENNE? OUAIS J'COMPRENDS...
COMME EN PLUS J'L'AI JAMAIS FAIT...
ATTENDS! MOI, JE SUIS ULTRA-JALOUSE. ENFIN, COMMENT DIRE, C'EST UNE QUESTION DE PRINCIPES. HORS DE QUESTION QUE MANU COUCHE AVEC UNE AUTRE MEUF QUE MOI. DES FOIS, T'IMAGINES MÊME PAS COMME J'LE SAOULE POUR RIEN : UN REGARD, UNE BISE...
TU VOIS, C'EST LA CONFIANCE QUE J'AI PLACÉE EN LUI QUI EST IMPORTANTE. BEN MALGRÉ C'TRUC, DES FOIS, JE BAISE AILLEURS...
HEIN ?!?
MAIS OUI MAIS C'EST DANS UN HORS-CHAMPS TU VOIS... UN MEC SUPER CONNU ENFIN PAS SUPER CONNU MAIS QUE TU TE DIS "WAH OK LUI IL EST CHAUD ÇA FAIT LONGTEMPS QU'JE L'KIFFE... ON N'A QU'UNE VIE..." J'EN RENCONTRE PLEIN DANS MON BOULOT...
TU L'FAIS SOUVENT?
NAN ATTENDS, TOUS LES MECS VEULENT BAISER... DONC C'EST VRAIMENT QUAND T'AS UNE OCCASE EXCEPTIONNELLE... ET PERSONNE SAURA JAMAIS QUI, OÙ, QUAND, COMMENT...
MANU S'EN EST JAMAIS RENDU COMPTE ALORS?
ÇA VA PAS? J'LE SAOULE TELLEMENT AVEC MES PRINCIPES - ET J'Y CROIS VRAIMENT À CES PRINCIPES - QU'IL PEUT MÊME PAS IMAGINER LE MOINDRE QUART D'UN DÉBUT DE TRUC.
HA OUAIS!!!
BAISE. BAISE ET LE DIS À PERSONNE. JAMAIS.
Riad Sattouf

La vie secrète des jeunes

Riad Sattouf

La vie secrète des jeunes
VU ET ENTENDU À CHÂTELET, À PARIS...
HEY!
ÇA VA OU KOI ?
C'EST PAS KORREKT... T'AS DEUX BÉLLES DAMOISELLES POUR TOI...
NAN SÉRIEUX : DEUX MEUFS FRANCHEMENT CÉ TROP.
VIENS, ASSIS-TOI... TÉKI?
CÉ TROP, ET CÉ PAS KORREKT T'ABUZES HAMDULLAH T'ABUZES... RÉFLÉCHIS BIEN : CÉ ABUZÉ.
MAIS ASSIS-TOI AU LIEU D'PARLER...
TÉKI?
T'ABUZES.
HAN C'ÉTAIT KI C'GARS? IL EST RELOU OU KOI Y PLÉZANTAIT OU KOI ?
VAZI PARLE PAS SUR LUI... C'EST UN CONVERTI, IL FAIT RAMADAN PARLE PAS SUR LUI...
MAIS IL
PARLE PAS SUR LUI.
Riad Sattouf

La vie secrète des jeunes
VU ET ENTENDU DANS LE MÉTRO, LIGNE 9, À PARIS...
OUAIS MON GARS... OUAIS MON GARS... OUAIS MON GARS... CHARLINE...
CHARLINE J'TE DIS LA COPINE DE LISE... OUAIS ELLE TRAÎNE TOUJOURS AVEC FADIA... SUR LA VIE D'MA MÈRE...
SUR LA VIE D'MA MÈRE AU BLED
SUR LA VIE D'MA MÈRE AU BLED
KHIHIHI
ATTA
ATTA
SAMEDI, SAMEDI... J'MARCHE T'SAIS J'SORS À PONT-D'SÈVRE ET LÀ GENRE J'LA VOIS AVEC L'IPOD...
ELLE AVÉ L'IPOD
ALLÔ!
ALLÔ!
ALLÔ PUTAIN
...OUAIS... J'LA VOIS T'VOIS ET ELLE M'FAIT "T'ES UN COPAIN À KARIM" J'FAIS "D'OÙ TU CONNAIS KARIM D'OÙ TU CONNAIS KARIM" ELLE M'FAIT "J'LE CONNAIS"... OUAIS... ON DISCUTE ET TOUT GENRE ET J'LUI FAIS "TU FÉ KOI" ELLE FAIT "J'VÉ VOIR FADIA"...
J'LUI FAIS "TU VEUX BÉDAVE OU QUOI"... ALLÔ... ALLÔ...
J'LUI FÉ TU VEUX BÉDAVE OU KOI
ALLÔ
ALLÔ
...OUAIS... ELLE FAIT "OUAIS" ALORS ON VA CHEZ MOI SUR LA VIE D'MA MÈRE AU BLED SUR LA VIE D'MA MÈRE AU BLED LÀ, ELLE EST BIEN KOM ÇA GENRE "KESKE J'FÉ"... LÀ ON BÉDAVE MON FRÈRE, J'LA VOIS, ELLE PART, ELLE PART... GENRE APRÉ, APRÉ J'LA TOUCHE, J'TOUCHE SES EINSSES...
SUR LA VIE D'MA MÈRE MON FRÈRE
SUR LE CORAN MON FRÈRE CÉ VRÉ.
NAN... NAN...
OUAIS APRÈS ELLE FÉ "NAN J'VEUX PAS" ET ELLE M'FILE SON 06 TU VOIS ET ELLE PART...
NAN... NAN VAZI CHUIS PAS KOM ÇA SI ELLE VEUT PAS ELLE VEUT PAS ALLÔ
CHUIS PAS UN POINTEUR MON FRÈRE CHUIS PAS UN POINTEUR ALLÔ
J'VÉ LA REVOIR, J'VÉ LA REVOIR... FRANCHEMENT ELLE EST PAS TROP BONNE? J'LUI AI FÉ UN TEXTO ET ELLE A PAS RÉPONDU... MAIS NAN ELLE M'A PAS BASHÉ TU T'FOUS D'MA GUEULE OU KOI?
ALLÔ?
ALLÔ?
PUTAIN
PFFFF
Riad Sattouf

La vie secrète des jeunes
VU ET ENTENDU DANS UN FAST-FOOD DE LA PLACE DE LA NATION, À PARIS.
MOI J'DIS ON EST DÉ FRÈRES POUR RIEN, ON EST DÉ FRÈRES POUR RIEN J'TE DIS
FAUT PAS DIRE ÇA, NOUS ON EST REUBEU, VOUS VOUS ÊTES DÉ RENOIS VOILÀ...
ON EST DÉ FRÈRES POUR RIEN ON EST DÉ FRÈRES POUR RIEN
FRANCHEMENT ON EST DÉ MUSLIMS, CÉ ÇA QUI FÉ QU'ON É DÉ FRÈRES ET VOILÀ
Y A PAS D'ENTRÉDE DANS LÉ KOMBATS
MAIS NAN ÉCOUTE
ON É DÉ FRÈRES POUR RIEN J'TE DIS PUTAIN
ET CÉ TOU
TU KOMPRENDS RIEN OU KOI
FRANCHEMENT LE PLUS IMPORTANT, CÉ LÉ TRADITIONS, CÉ ÇA KI FÉ QUE NOUS ON PEUT S'KOMPRENDRE TU VOIS ? C'EST LE RESPÉ DÉ VALEURS
TRADISSIONS KEL TRADISSIONS
BRRRR
TU VOIS LE
OUAIS ALLÔ
OUAIS OUAIS... OUAIS... JÉ VU OUAIS IL JOUE KOM UNE MERDE OUAIS... MON CUL... T'SÉ QUOI ? T'SÉ QUOI Y PARÉ MANCHESTER LEU VEUT...
MANCHESTER IL A FÉ UNE OFFRE... Y MARQUE 5 BUTS MON CUL OUAIS... FRANCHEMENT CÉ SKANDALEUX MOI J'DIS : Y RESTE À L'O.L. ET CÉ TOUT... SURESTIMÉ MAIS OUAIS BIEN SÛR KIL É SURESTIMÉ PUTAIN... OUAIS... MAIS OUAIS...
HEY ON ÉTAIT EN TRAIN DE DISCUTER !
Riad Sattouf

La vie secrète des jeunes
VU ET ENTENDU À PARIS, PLACE DE LA RÉPUBLIQUE...
HEY T'SAIS QUOI ?
J'TE PARIE QUE J'DONNE UN COUP DANS L'CLODO LÀ-BAS
TSSS SÉRIEUX ?
NAN TU L'FAIS PAS.
J'TE PARIE 10 EUROS MON FRÈRE.
PUTAIN DE SALE CLODO !
Riad Sattouf

La vie secrète des jeunes
VU ET ENTENDU À PARIS DANS LE MÉTRO, LIGNE 9...
FAIS SOURIRE À OUMAK ! MEUH MEUH FAIS SOURIRE !
AGRRR ! AGRRR
CLAK
CLAK
HiHiHi Hi Hi. Hi Hi
C'EST KOI ÇA ? C'EST KOI ? C'EST KOI CES CH'VEUX ?
C'EST KOI ÇA ?
ARRÊTE HOURIA IL EST P'TIT YALLA TU LUI FÉ MAL.
Hiii HiHi Hi
MAIS R'GARDE C'EST TROP LONG SES CH'VEUX, C'EST DES CH'VEUX D'FILLE, C'EST PAS UNE FILLE ! C'EST UNE FILLE ? C'EST UNE FILLE ?
MA NAAAN...
C'EST PAS UNE FILLE, VALA.
CACHE TES CH'VEUX ! CACHE ! C'EST MOCHE ! C'EST PAS BEAU ! CACHE !
CACHE T'ES MOCHE !!!
SMAAACK
T'ES MOCHE !
SMAACK
SMACK
SMACK
Riad Sattouf

La vie secrète des jeunes

VU ET ENTENDU DANS UNE COUR D'IMMEUBLE DANS LE 3e ARRONDISSEMENT À PARIS.

MOI, MOI, MOI, QUAND J'FAIS PIPI HÉBEN, HÉBEN ÇA VA LOIIIN.

RENDS! REEEENDS! C'EST À MOI! C'EST À MOUAAAHiii

HiiiiiiNNN

QUENTIN? KESKYA?

TIENS. TIENS.

QUENTIN POURQUOI TU PLEURES ?

Hiiiiiin

HiiiiN C'EST À MOUAAAHiiiin

C'EST PAS À TOUA

QUENTIN? ATTENDS JE DESCENDS.

MAIS J'TE L'AI RENDU! J'TE L'AI RENDU!

Riad Sattouf

La vie secrète des jeunes
VU ET ENTENDU À ARLES...
Y A UNE BONNE AMBIANCE À LA BOÎTE TU VAS VOIR ON RIGOLE...
HAN C'EST COOL...
OUAIS... T'AS REPÉRÉ DAVID ?
DAVID NAN
PAS ÉTONNANT
HAHA
DAVID C'EST LE BLOND QUI BOSSE À LA COMPTA, AVEC UNE MÈCHE ET UNE TÊTE DE MANNEQUIN
IL FAIT QUOI
C'EST EUH NOTRE MASCOTTE
HAHA
TU SAIS CE QU'IL ME FAIT HIER ? IL M'APPELLE : "TU PEUX VENIR J'AI UN PROBLÈME"... J'ARRIVE, ET LÀ SUR SON ÉCRAN, UNE BARRE D'INSTALL À 2%
HAHA... FF! FF!
IL ME DIT : "ÇA FAIT UNE HEURE QUE ÇA AVANCE PAS"
J'LUI DIS : T'INSTALLES QUOI ? ET LUI... IL ME REGARDE : "J'INSTALLE SP1 J'COMPRENDS PAS, HAHAHA !
HAHA
HAHAHA ALORS QU'IL EST SOUS VISTAAAA HAHAHA
HAHA!
C'EST PAS POSSIBLE MAIS D'OÙ IL SORT IL DEVRAIT FAIRE COIFFEUR PLUTÔT ET PAS BOSSER DANS UNE BOÎTE D'INFO...
HAHAHA SP1 NON MAIS DAVID PITIÉÉÉ
TU VAS VOIR TU VAS T'Y FAIRE À DAVID IL EST ÉNORME
VOUS VOUS MOQUEREZ PAS DE MOI SI J'AI DES PROBLÈMES D'ORDI AUSSI HEIN
NAAAN T'INQUIÈTE TOI C'EST PAS PAREIL
DAVID C'EST DAVID
Riad Sattouf

La vie secrète des jeunes

VU ET ENTENDU À AVIGNON, PRÈS DU PALAIS DES PAPES.

ÇA Y EST J'COMMENCE À ÊTRE BIEN DÉTENDU DANS MON APPART J'EN AI PLUS RIEN À FOUTRE DE MES COLOCATAIRES.

AH OUAIS ?

MAINTENANT J'ME BRANLE DIRECT DEVANT L'ORDI MÊME SI ELLES SONT À CÔTÉ.

ELLES FONT QUOI À CÔTÉ ?

BIN CHAIS PAS ELLES DORMENT OU ELLES MATENT LA TÉLÉ.

ET SI ELLES TE CHOPENT ?

ET ALORS ? RIEN À FOUTRE L'ORDI IL EST POUR TOUT L'MONDE J'PAIE INTERNET.

OUAIS C'EST CLAIR.

IMAGINE MÊME ELLES VOIENT MA BITE : HOLÀLÀ QUEL SCANDALE !

PEUT-ÊTRE QU'ELLES VOUDRAIENT TE SUCER.

" TU VAS PAS GÂCHER TA JUTE, YANN, JE M'EN OCCUPE. "

NOUS ÇA FAIT LONGTEMPS QU'ON S'BRANLE PEINARD À L'APPART : PLUS RIEN À FOUTRE.

OUAIS MAIS VOUS ÊTES QUE DES MECS MOI CHUIS AVEC DEUX MEUFS C'EST PAS PAREIL.

OUAIS.

TU PENSES QUE TU VAS FINIR PAR LES BAISER TES COLOCS ?

OUAIS J'PENSE Y A MOYEN.

Riad Sattouf

La vie secrète des jeunes
VU ET ENTENDU DANS UN FAST-FOOD PLACE DE LA NATION, À PARIS.
J'PARS CHEZ MON PAPY LÀ
C'EST BIEN, LA CAMPAGNE...
Y VA ENCORE ME FAIRE LE COUP DES DINDONS...
C'QUOI ÇA ?
TOUJOURS DÈS QU'J'ARRIVE IL ME MET DANS UNE CAGE... AVEC DEUX VIEUX DINDONS LÀ...
FAUT APRÈS QU'J'ATTRAPE LES DINDONS ET QUE J'LES TUE AVEC UN BÂTON
SÉRIEUX ?
OUAIS C'EST CHAUD PASSQU'ILS COURENT PARTOUT... ILS GUEULENT ET TOUT... GENRE Y A D'LA MERDE PARTOUT ET MON PAPY IL EST D'L'AUTRE CÔTÉ DE LA CAGE ET Y GUEULE AUSSI... "VAZI ! VAZI NOM DE DIEU !"
APRÈS FAUT BIEN TENIR ET TAPER DESSUS AVEC LE BÂTON, T'AS DES PLUMES PARTOUT ET TOUT... ÇA MET LONGTEMPS À CREVER ET TOUT EN PLUS...
ÇA SERT À QUOI QU'IL TE FAIT FAIRE ÇA TON PAPY ?
BEN C'EST POUR QU'JE RESTE BIEN HABITUÉ À TUER LES TRUCS
TAIN DANS SA FERME MON PAPY ON BOUFFE QUE DES OISEAUX QUAND JE R'VIENS J'EN PEUX PLUS : OVERDOSE D'OISEAUX
Riad Sattouf

La vie secrète des jeunes
VU ET ENTENDU BOULEVARD MAGENTA À PARIS.
KSSTFÉ ? T'VAS OÙ ?
HEY !
HEY !
PUTAIN
HEY
CLAC
VIENS ! VIENS !
KESS TU FÉ DES PROBLÈMES PUTAIN
C'T'ENCULÉ J'DEMANDE SI IL A UNE GARETTCI Y M'FAIT "NAN DÉSOLÉ" ALORS KI FUME FISS DEU PUTTTTE !
DIS SI C'EST RESPECTUEUX FRANCHEMENT
FISS DEU PUTTTE
NIQUE SA MÈRE FISSDEU PUTTTE
MAIS ARRÊTE DEU FÉR DÉ PROBLÈMES PUTAIN IL A PAS D'KLOPE MOI J'EN AI TIENS PUTAIN
FISSDEUPUTTE J'LUI D'MANDE, Y FUME, Y DIT "NAN" MAIS L'FILS DEU PUTE C'PAS RESPECTUEUX FRANCHEMENT J'LUI DÉFONCE SA GUEULE C'EST RESPECTUEUX OU PAS ?
DIS SI C'EST RESPECTUEUX FRANCHEMENT. J'LE FOUILLE CHUI SÛR IL A DÉ CLOPES EN FAIT KEKPAR FISSDEUPUTTE !
Riad Sattouf

La vie secrète des jeunes

VU ET ENTENDU DANS LE MÉTRO, LIGNE 9, À PARIS.

HAHA

HAHA

L'GARS

T'VOIS

... FERME TA GUEULE FILS DE PUTE

MAIS NAN POURQUOI

OUILLE HAHA !

LEROY MERLIN

MAIS J'AI RIEN DIIIT !

Hiiii

LEROY MERLIN

LEROY

Hiiii

HAAAA!!!

NOON !

AAHH !

Hiiii !

AU SECOURS !

LE TRAIN ARRIVE À RÉPUBLIQUE, LA PORTE S'OUVRE, LE TYPE À LA SCIE S'ENFUIT. LES GENS TIRENT LE SIGNAL D'ALARME.

J'AVAIS RIEN FAIIIT

ALLEZ SORS... VA T'LAVER AU ROBINET, Y T'A OUVERT.

Hiii

T'ES TOUT OUVERT.

AU SECOURS !

Riad Sattouf

La vie secrète des jeunes
VU ET ENTENDU DANS LE MÉTRO, LIGNE 8, À PARIS...
T'VOIS ELLE A 13 ANS HAMDULLAH ELLE A 13 ANS.
IL S'EN BAT LES STEAKS?
MAIS NAN MAIS IL LE SAIT PAS QU'ELLE A 13 ANS J'TE PROMETS...
NAAAN
T'AS VU COMMENT ELLE EST, SÉRIEUX ELLE FAIT 20.
18, ELLE FAIT 18.
... BON J'FINIS, ALORS ELLE, ELLE LE CHAUFFE À LA SOIRÉE TU VOIS
OUAIS
ET LUI GENRE RIEN À BATTRE
IL S'EN BAT LES STEAKS.
OUAIS VALA, GENRE IL EST CONNU, TOUT LE MONDE LUI PARLE
NORMAL
MAIS ELLE, ELLE INSISTE.
ELLE LÂCHE PAS L'AFFAIRE NAN-NAN.
À UN MOMENT ELLE DANSE ET TOUT BIEN COMME IL FAUT
AHR AHR!
LUI : Y PARLE À SES POTES TOUT ÇA...
MOI J'TIZE, T'VOIS J'CAUSE À DES GENS ET J'LA VOIS PLUS, APRÉÉÉ IL É TARD J'ME CASSE Y AVÉ PU TROP DE MONDE... J'VAIS POUR ME CASSER TU VOIS.
APRÉ?
...J'VÉ DANS LA CHAMBRE PRENDRE LA VESTE, ET LÀ SUR LA VIE D'MA MÈRE, ENTRE LE LIT ET L'MUR MAIS ILS BÉZÉ, GENRE COMME UN CLEBS IL LA BÉZÉ!
J'PRENDS MA VESTE ET J'DIS : "BONNE SOIRÉE..."
...
Riad Sattouf

Les bêtes de meufs

D'APRÈS LES ARTICLES D'ARIANE CHEMIN (LE MONDE)
ET PATRICIA TOURANCHEAU (LIBÉRATION)

L'HISTOIRE COMMENCE À BAGNEUX, DANS LES HAUTS-DE-SEINE, CITÉ DES PRUNIERS-HARDY.
AUDREY L. EST LA MAÎTRESSE DE JÉRÔME R. C'EST UNE PETITE FRAPPE QUI PLAÎT AUX FEMMES. IL FAIT PARTIE DU GANG DES BARBARES. IL FAIT UN PEU DE BIZNESS.
TRANSPORTER LE SHIT, LE VENDRE, C'EST CE QUI SE FAIT DE PLUS COMMUN DANS MA CITÉ...
POUR JÉRÔME, AUDREY CACHE DES CHOSES CHEZ ELLE. ELLE L'AIME.
DEUX, TROIS TABLETTES DE "CHOCOLAT" SOUS LE LIT.

JÉRÔME CONNAÎT BIEN YOUSSOUF FOFANA, QUI AIME SE FAIRE APPELER MOHAMED OU OUSSAMA, EN RÉFÉRENCE À BEN LADEN. C'EST LE CERVEAU DU GANG DES BARBARES.
YOUSSOUF
JÉRÔME
UN SOIR, JÉRÔME DÉBARQUE AVEC YOUSSOUF CHEZ AUDREY. YOUSSOUF VEUT LUI PROPOSER UN PLAN. AGUICHER UN MEC, L'ATTIRER À SCEAUX ET SOUTIRER DU FRIC À SA FAMILLE.
FAUT ALLER DANS UN QUARTIER JUIF ! JE VEUX UN JUIF !
AUDREY ACCEPTE. SI ÇA MARCHE, ELLE AURA 3000 EUROS, SELON FOFANA.
JUSTE, PROMETS-MOI QU'Y AURA PAS MORT D'HOMME.
MAIS NON, ON EST PAS COMME ÇA. ON PRENDRA DE L'ÉTHER POUR ÉVITER DE LE FRAPPER.

QUAND MUMU, UNE COPINE D'AUDREY, APPREND LE TRUC, ELLE S'ÉNERVE UN PEU.
SI TU L'FAIS, J'LE DIS À TES PARENTS.
T'AS PAS À M'FAIRE LA MORALE !
LE COUP FINIT PAR FOIRER. TIFENN, UNE AMIE DE FOFANA, LUI PRÉSENTE RUTH, UNE FILLE DE SON INTERNAT, QUI ACCEPTE DE RÉESSAYER.
FAUT ATTIRER UN PETIT BLANC D'BAGNEUX DANS UNE CAVE, UN GARÇON BÊTE ...
MAIS ÇA MARCHE PAS NON PLUS. FOFANA LUI FILE QUAND MÊME 80 EUROS.
ELLE S'ACHÈTE UNE PAIRE DE BOTTES AVEC L'ARGENT !

FOFANA DEMANDE À TIFENN DE LUI TROUVER UNE AUTRE FILLE. ELLE EN PARLE À YALDA, UNE IRANIENNE DE SON INTERNAT.
J'TE PRÉSENTERAI! Y S'APPELLE YOUSSOUF, C'EST UN MEC GENTIL.
J'LE KIFFE UN PEU...
TIFENN PRÉSENTE YALDA À FOFANA. IL LUI EXPOSE SON PLAN. YALDA EST FLATTÉE.
IL CHERCHAIT UNE "BÊTE DE MEUF" ET IL A PENSÉ À MOI!
FOFANA FLATTE ENCORE YALDA.
AVEC TOI, JE SENS QUE JE PEUX FAIRE DE BONNES AFFAIRES.
VU TON PHYSIQUE, TU PEUX FAIRE DES FORTUNES ...
TOUS LES MECS TOMBERONT DANS LE PANNEAU.

YALDA A ÉTÉ VIOLÉE PAR 3 TYPES DE SON COLLÈGE QUAND ELLE ÉTAIT EN 5e.
FAUT SÉDUIRE DES VIEUX, LES METTRE EN CONFIANCE... SE FAIRE PRÊTER DE L'ARGENT...
CHUIS PAS UNE PROSTITUÉE!
FOFANA EMMÈNE YALDA VERS LA PLACE DE LA RÉPUBLIQUE, À PARIS, DANS SA VOITURE.
TU DOIS PRENDRE LE NUMÉRO D'UN JUIF QUI TRAVAILLE DANS LA TÉLÉPHONIE... LES JUIFS SONT SOLIDAIRES ENTRE EUX... J'VAIS EN PRENDRE UN EN OTAGE... ILS PAIERONT...
FOFANA LA DÉPOSE DEVANT UN MAGASIN BOULEVARD VOLTAIRE...
J'AI UN HAUT ET UNE ÉCHARPE ROSES...
POUR QUE ÇA SOIT BIEN COORDONNÉ.

ELLE ARRIVE À SE PROCURER LE NUMÉRO D'ILAN, VENDEUR DANS LE MAGASIN. YOUSSOUF EST TRÈS CONTENT. APRÈS, ILS S'ACHÈTENT DES PANINIS.
ON EST DES ARABES ET DES NOIRS, FAUT QU'ON SE SOUTIENNE.
CHUIS PAS ARABE.
LES JUIFS C'EST LES ROIS...
YALDA RAPPELLE ILAN. ELLE LUI DONNE RENDEZ-VOUS PORTE D'ORLÉANS. FOFANA PRÉSENTE YALDA À CHRISTOPHE, DIT "MOCO", UN JEUNE ANTILLAIS FRAÎCHEMENT CONVERTI À L'ISLAM. C'EST LUI QUI LA CONDUIT AU LIEU DU RENDEZ-VOUS.
CLAK
PORTE D'ORLÉAN
ELLE REJOINT ILAN DANS UN BAR. IL COMMANDE UN ICE TEA.
J'VAIS PRENDRE UN COCA.

ELLE ENTRAÎNE ENSUITE ILAN DANS UN PARC, ET PRONONCE LE CODE.
JE SAIS PAS OÙ J'AI MIS MES CLÉS!
3 TYPES, DONT FOFANA, JAILLISSENT DES BUISSONS ET MAÎTRISENT ILAN. YALDA EST BOULEVERSÉE.
PENDANT DEUX MINUTES, IL DEMANDE DE L'AIDE D'UNE VOIX AIGUË DE FILLE!
APRÈS L'ENLÈVEMENT, MOCO LA CONSOLE.
C'EST PAS GRAVE, FAUT QUE TU OUBLIES.

PENDANT QU'ILAN EST ENROULÉ DE SCOTCH DANS UN APPARTEMENT DE BAGNEUX, MOCO, YALDA ET SON PETIT AMI SAMI DÎNENT À L'HIPPOPOTAMUS DE MONTPARNASSE.
YALDA PREND UNE GLACE, LES GARÇONS, CARPACCIO À VOLONTÉ.

PENDANT CE REPAS, YALDA TOMBE AMOUREUSE DE MOCO.
FOFANA PAIE UNE CHAMBRE DANS UN 3 ÉTOILES À YALDA ET À SAMI. YALDA TOMBE ENCEINTE.

MOCO EST UN EX DE TIFENN, LA RABATTEUSE. PENDANT LES SEMAINES QUI SUIVENT, PENDANT QU'ILAN EST TORTURÉ, TIFENN ET YALDA SE CHAMAILLENT POUR LUI DANS LEUR INTERNAT.

DANS LE RÉPERTOIRE DU TÉLÉPHONE DES DEUX FILLES, ON TROUVE À C UN COPAIN RAPPEUR : "COUP KI DANSE", À G, ON TROUVE "GROSSE PUTE". À M, IL Y A "MON MARI". À N, IL Y A "CHEIKH GARE DU NORD", UN MEC RENCONTRÉ À GARE DU NORD.
À Y, IL Y A "YOUSSOUF LE BARBARE"
UNE FOIS ARRÊTÉE, YALDA RACONTE AUX ENQUÊTEURS :
POUR MOI, C'ÉTAIT PAS GRAVE, CAR TIFENN M'AVAIT DIT QU'ILS ALLAIENT JUSTE LUI POSER DES QUESTIONS ET LE RELÂCHER.

L'ENQUÊTRICE : "C'EST DONC PAS GRAVE DE GARDER QUELQU'UN CONTRE SON GRÉ JUSQU'À CE QU'IL AVOUE QUELQUE CHOSE ?"
BEN, NON.

Riad Sattouf

La vie secrète des jeunes
VU ET ENTENDU À PARIS, DANS LE MÉTRO, LIGNE 9...
TÉMA.
HA HA
ARRÊTE ARRÊTE REFAIS LE NORMAL
NAN. "COUCOUUU ÇA VAAA?"
J'PEUX PAS R'GARDER ARRÊTE STEUPLAÎT
MAIS TU VOIS QUOI COMME ÇA?
DES TRUCS CHELOUS
TAIN ÇA T'FAIT TROP UNE TÊTE DE TUEUR ET TOUT
"MARiiiiNE VIENS LÀÀÀA..."
Riad Sattouf

La vie secrète des jeunes
VU ET ENTENDU DANS UN MAGASIN DE GADGETS À PARIS.
MOI J'LUI DIS : "POURQUOI TU PEUX PAS DEMAIN ?"
LUI, Y DIT : "J'VAIS M'FAIRE TATOUER" J'LUI DIS : "ENCORE ? MAIS TU T'FAIS TATOUER QUOI ?"
Y S'FAIT TATOUER QUOI ?
Y M'REGARDE, Y MONTRE SON BRAS ET Y DIS : "UNE PHRASE EN ARABE LÀ".
EN ARABE ?!
OUAIS EN ARABE.
MOI, VÉNÈRE TU VOIS, QU'ON SE VOIT JAMAIS ET TOUT, J'LUI DIS : "MAIS T'AS DÉJÀ DES PHRASES TATOUÉES DANS TOUTES LES LANGUES PARTOUT, TU T'ARRÊTES UN JOUR OU QUOI ?"
DANS TOUTES LES LANGUES ?
OUAIS : CHINOIS, RUSSE, INDIEN ET TOUT.
WAHOU
ET LÀ Y ME REGARDE ET Y DIT : "J'VAIS ME FAIRE TATOUER ET C'EST TOUT."
J'LE REVOIS TROIS JOURS APRÈS, JE R'GARDE SON BRAS : RIEN.
Y S'ÉTAIT PAS FAIT TATOUER ?
ATTENDS. LÀ, Y RETIRE SON TEE-SHIRT...
ET DANS SON DOS, Y S'ÉTAIT FAIT TATOUER UN LABYRINTHE AVEC UN OEIL GENRE TROP BIEN FAIT AU MILIEU ! L'HALLU !
NAAAAN
ET Y DIS : "J'L'AI FAIT POUR TOI, C'EST POUR TOI."
ET DEPUIS C'EST TROP SPÉ, QUAND IL EST DE DOS, J'VOIS SON OEIL QUI M'REGARDE, C'EST COMME SI IL AVAIT TROIS ZYEUX T'VOIS.
HAAAN C'EST TROP BIEN.
Riad Sattouf

La vie secrète des jeunes

VU ET ENTENDU DANS LE MÉTRO, LIGNE 3, À PARIS

... ET TU VOIS CE MEC MAIS MERDE J'AI ENVIE DE LUI HURLER: "TU ME SUCES COMME UN DIEU!"

BIN POURQUOI TU LE FAIS PAS?

MERCI POUR TON CONSEIL JE VAIS VACHEMENT HURLER ÇA, MERCI.

BIN SI C'EST VRAI? HURLE.

NON MAIS N'IMPORTE QUOI TOI, VRAIMENT, T'ES LANCÉ C'EST BON T'ES PARTI QUOI.

MAIS BIEN SÛR.

HAN MATE LA VIEILLE NON MAIS BONJOUR TRISTESSE QUOI.

T'EN SAIS RIEN ELLE SUCE PEUT-ÊTRE COMME UNE DÉESSE!

NON MAIS ÇA VA PAAAS?

HA HA

ATTENDS ELLE NOUS R'GARDE VIENS.

ELLE NOUS REGARDE?

OUAIS!

Riad Sattouf

La vie secrète des jeunes

VU ET ENTENDU À RENNES, PLACE SAINTE-ANNE...

LULU !

GLLGLL

C'PAS LE...

LULUUU !

RABOULE

HÉHÉHÉHÉPFFF...

HiHiHi

BLEUUARHLL

EUUURLL

PHOTO DU SIÈCLE.

CLiK

HA HA

Riad Sattouf

La vie secrète des jeunes
CES TEMPS-CI, ON TOURNE UN FILM DANS UN COLLÈGE EN SEINE-SAINT-DENIS. UN DES FIGURANTS, ÉLÈVE DANS LE MÊME COLLÈGE, VIENT ME PARLER.
BONJOUR, VOUS ÊTES L'AUTEUR DE BANDES DESSINÉES ?
JE SUIS EN 4E DANS CE COLLÈGE. JE M'INTÉRESSE BEAUCOUP À LA CRÉATIVITÉ, À L'ASPECT CRÉATIF DES CHOSES.
VOUS SAVEZ, DANS CE COLLÈGE, SI VOUS N'AVEZ PAS LE CRÂNE RASÉ, C'EST DUR D'AVOIR DES AMIS, HORS MA MÈRE REFUSE QUE JE ME RASE LE CRÂNE. ON PEUT DIRE QUE JE CORRESPONDS À L'ARCHÉTYPE DE LA VICTIME COMME ON L'IMAGINE.
JE VOUDRAIS DEVENIR ÉCRIVAIN. JE SUIS NUL EN MATHS ET EN SCIENCES, ET AUJOURD'HUI, SI VOUS ÊTES BON EN FRANÇAIS, ÇA NE MÈNE NULLE PART. LES PROFS NOUS LE RÉPÈTENT TOUT LE TEMPS.
ALORS, J'ÉCRIS.
DE TOUTE FAÇON, JE N'AI QUE ÇA À FAIRE, ÉCRIRE. JE TRAVAILLE ACTUELLEMENT SUR MON PREMIER ROMAN, UNE AVENTURE D'ESPIONNAGE À L'INTRIGUE COMPLEXE...
MAIS JE VOUS LAISSE, VOUS AVEZ SANS DOUTE D'AUTRES CHOSES À FAIRE. JE VOUS FERAI LIRE MON LIVRE À L'OCCASION. AU REVOIR.
IL RETOURNE DANS LE FLOT DES FIGURANTS.
IMMÉDIATEMENT APRÈS, UN AUTRE ÉLÈVE VIENT ME PARLER.
HEY M'SIEUR ! Y VOUS A DIT QUOI LUI ? HEY M'SIEUR C'EST LE PÉDÉ DU COLLÈGE !
C'EST UN PÉDÉ, C'EST VRAI.
Riad Sattouf

La vie secrète des jeunes
VU ET ENTENDU À GAGNY, EN SEINE-SAINT-DENIS...
ARH ! ARH !
AAAAARH ! TA GUEUUULE AAAAAAH !
HNNN HNNN
RHHHH ARHHH !
TA GUEULE ! ARRRRRH ARH !
TIENS ÇA TOI !
ARHHH
CHUUUUT CHUUUUT
ARH
VOILÀ. C'EST BIEN.
Riad Sattouf

La vie secrète des jeunes
VU ET ENTENDU DANS UNE AGENCE IMMOBILIÈRE, À PARIS.
VOILÀ: UN BEL IMMEUBLE, LUMINEUX, AVEC UNE ARCHITECTURE INTÉRIEURE HARMONIEUSE, QUELQUE CHOSE D'ÉLÉGANT.
VOUS CHERCHEZ DANS QUELS ARRONDISSEMENTS?
BEN, LE 3e, 4e ET 5e*... ET LE 3e BIEN, PAS LE 3e TROP BOURGE.
PAS TROP POPULAIRE NON PLUS.
OUI, PAS LE 3e POPULAIRE.
CLIK
CLIK
VOTRE BUDGET VOUS M'AVEZ DIT 700 000 ?
ALLEZ, 750 000.
SI J'AI À 800 000, JE VOUS ENVOIE QUAND MÊME?
BIN SI ON PEUT FAIRE UNE PARTIE DE LA SOMME AU NOI..
VOUS VOYEZ?
CLIK
CLIK
ÉVIDEMMENT, C'EST TOUJOURS FAISABLE SUR CES SOMMES, ÇA SE NÉGOCIE...
BON JE REGARDE.
JE M'EN DOUTAIS, POUR 100 m^2, 800 000 C'EST JUSTE, DANS LE 3e... ET LE 4e C'EST PLUS CHER ENCORE.
ON N'A RIEN.
VOUS CONNAISSEZ LE 10e? Y A DES ENDROITS SUPERBES, ASSEZ PEU CONNUS AVEC DES BIENS FABULEUX... ÇA POURRAIT ÊTRE DANS VOS PRIX.
MOUI POURQUOI PAS...
LE 10e EUH ...
LE 10e C'EST LES RESTOS INDIENS LÀ ÇA CRAINT...
OUAIS.
NON C'EST VRAIMENT LE BON 10e.
OUAIS ALORS LE BON 10e ALORS.
EUH...
ET LE 5e?
AH C'EST LE PLUS CHER.
ET SI ON DIT EUH 900-1 MILLION ?
POUR LE 5e, 100 m^2, ÇA VA ÊTRE JUSTE AUSSI.
Y A PAS UN 5e POPULAIRE? C'EST PAS POSSIBLE!
HAN C'EST L'ENFER.
* ARRONDISSEMENTS LES PLUS CHERS DE FRANCE
Riad Sattouf

La vie secrète des jeunes
DANS LE WAGON-BAR DU ANGOULÊME-PARIS, UNE ÉQUIPE DE RUGBY DÉBOULE.
PUTAINGUE SOIF! SOIF!
WAF WAF
MOI J'DIS, ON Y AVAIT ET ON LES DÉFONÇAIT
MÉ OUIII
ASSEZ RAPIDEMENT, ILS IMPOSENT UNE AMBIANCE. L'UN D'EUX, JOYEUX, S'ASSIED SUR LE BAR.
UNE BIÈRE!
SOURIRE STUPIDE DU TYPE SOUMIS, HEUREUX D'AVOIR DES COPAINS BALÈZES
ET VOILÀÀÀ.
PUTAINGUE MAIS OU PASSAIT PA' LEU COTÉ, ON LES DÉFONÇAIT
LES BIÈRES S'ENCHAÎNENT, LA VOIX MONTE. LA PRÉSENCE DANS L'ÉQUIPE DE JOUEURS MÉTISSÉS PERMET AU TYPE DU BAR DE FAIRE DE L'HUMOUR AVEC DES CLIENTS.
HEY
LE DIMANNNCHE À BAMAKOOO C'EST LEU JOUWE DEU MAWIIAAGE
?
HEY!
ARH ARH ARH
PUTAINGUE TU CHERCHES UNE GONZESSSS À MARIER STEPH'?
ARHARH
HEY! HAMDULA! HEY T'ES À LA BIÈRE? T'ES BIEN INTÉGRÉ HEY! HEY SANTÉ HAMDULA
HEY HAMDULA
VOILÀ VOTRE BIÈRE, 3€80
HEY HAMDULA IL S'EN VA HAMDULA
IL A SOIF! ARHARH
MALHEUR AUX FILLES QUI TRAVERSENT LE WAGON.
NTT!
HEY IL EST PAS LÀ L'PAPA? HEY...
HIHI
ELLE VEUT D'AUTRES GOSSES, PUTAINGUE MOI JE LES LUI FÉÉÉ
OUILLE OUILLE
HEY Y A TA FEMME
TA GUEULE
TOPMODEL HAHA
À SUIVRE...
Riad Sattouf

La vie secrète des jeunes
RÉSUMÉ DE L'ÉPISODE PRÉCÉDENT : UNE ÉQUIPE DE RUGBY IVRE, VUE ET ENTENDUE DANS LE TGV ANGOULÊME-PARIS, FAIT LA LOI AU BAR...
ON S'RAIT PASSÉ À DROITE ON LES DÉFONÇAIT
HAN HAN HAN HAN HAN
KHHH
SMICK
SMACK
HAA HAAA HAAAA
HA HA
JE REBOIS UN COUP PUTAIN
PUTAINGUE JE M'EN GRILLEU UNE
ON LES ATTAQUAIT, ON ÉTAIT BON
TU VOIS LA NANA MAIS CHAUDE
STEPH, T'AS TON BILLET ?
MGNMGN
Riad Sattouf

Lobbying

APRÈS ANGOULÊME, LE MINISTÈRE DE LA CULTURE ORGANISE UN DÎNER "BANDE DESSINÉE" OÙ SONT INVITÉS UNE TRENTAINE DE DESSINATEURS, JEUNES ET MOINS JEUNES. APRÈS AVOIR HÉSITÉ, JE DÉCIDE D'Y ALLER, AFIN DE FAIRE NAÏVEMENT DU LOBBYING POUR LA SUPPRESSION DE LA COMMISSION DE SURVEILLANCE DES PUBLICATIONS DESTINÉES À LA JEUNESSE (N'AYONS PEUR DE RIEN!). CETTE COMMISSION EST CÉLÈBRE POUR AVOIR EMMERDÉ UN NOMBRE INCALCULABLE D'ÉDITEURS ET D'AUTEURS, ET AUSSI D'AVOIR FAIT INTERDIRE HARA-KIRI. POUR MA PART, J'AVAIS ÉTÉ CONVOQUÉ À LA POLICE JUDICIAIRE PAR CETTE COMMISSION ET INTERROGÉ SUR LE CONTENU DE DEUX DE MES LIVRES. À PEINE ARRIVÉ AU MINISTÈRE, JE VOIS CHRISTINE ALBANEL QUI FAIT SON TOUR...

UNE FOIS ATTABLÉ, JE ME RETROUVE ASSIS À CÔTÉ DE MARIE-FRANÇOISE, CONSEILLÈRE DE LA MINISTRE. CHRISTINE ALBANEL EST ASSISE À LA TABLE DES DESSINATEURS PLUS ÂGÉS. CELA SEMBLE COMPLÈTEMENT IMPOSSIBLE DE L'ATTEINDRE. À SA DROITE, SEMPÉ.

JE ME TOURNE DONC VERS MA CONSEILLÈRE.
ELLE A VRAIMENT DU POUVOIR CHRISTINE? OU C'EST LE PRÉSIDENT QUI DÉCIDE?
BIEN SÛÛÛR!
BIEN SÛR QU'ELLE PREND DES DÉCISIONS... ET VOUS? SI VOUS NOUS FAISIEZ UN DESSIN?
POUR CHRISTINE.

ELLE VOUS ÉCOUTE? ELLE ÉCOUTE VOS CONSEILS?
TENEZ FAITES UN DESSIN.

NON MAIS CONCRÈTEMENT, ÇA CONSISTE EN QUOI VOTRE MÉTIER? VOUS AVEZ DES IDÉES ET VOUS LUI EN FAITES PART?
HO BEN OUI... EUH PAR EXEMPLE BON...
J'LUI AI DIT: "CHRISTINE FAUT QU'ON FASSE QUELQUE CHOSE POUR LES LIBRAIRES. C'EST DUR POUR EUX BON..."
ALORS ELLE A DIT "OUI TIENS"...
ET ÇA A DONNÉ LA LOI SUR LES LIBRAIRES.

MAIS C'EST LONG QUAND VOUS VOULEZ CHANGER QUELQUE CHOSE... C'EST TELLEMENT LONG...
ET VOUS, LES BÉDÉS? FAITES-MOI UN DESSIN.

ET EUH... VOUS SAVEZ CE QUE VOUS POURRIEZ CONSEILLER? ÇA SERAIT DE SUPPRIMER LA COMMISSION DE SURVEILLANCE SUR LES PUBLICATIONS DESTINÉES À LA JEUNESSE. LE TRUC DE LA LOI 49...
HMMM...
BOAAAH MAIS ÇA SERT PLUS À RIEN CE MACHIN...
BEN JUSTEMENT, SI ÇA SERT À RIEN, AUTANT LE SUPPRIMER... C'EST DES RESTES DE CENSURE, ON SAIT MÊME PAS QUI EST DANS CETTE COMMISSION... ILS SONT PAS ÉLUS...
MOUIII...
J'EN PARLERAI À CHRISTINE... MAIS ÇA ME SEMBLE PAS
ILS SONT TOUJOURS ACTIFS, J'ÉTAIS ALLÉ CHEZ LES FLICS À CAUSE D'EUX, ILS AVAIENT PAS AIMÉ UNE DE MES BANDES DESSINÉES...
COMME DANS UNE DICTATURE

HAHAHA! ÇA DEVAIT ÊTRE UNE SACRÉE BÉDÉ ALORS HAHA
C'EST PAS DRÔLE
ALLEZ... ÇA S'EST BIEN TERMINÉ? VOUS ÊTES PAS ALLÉ EN PRISON... ALLEZ ÇA VA ALLER. FAITES-MOI UN DESSIN.

UN AUTRE CONSEILLER S'APPROCHE.
COMMENT SE PASSE LA SOIRÉE? SAVEZ-VOUS QU'IL Y A EU UN MIRACLE CE SOIR?
HA BON?
OUI.
SEMPÉ A FUMÉ SA PREMIÈRE CIGARETTE EN 20 ANS.
HOOO! JE VAIS ALLER LE VOIR.
CHRISTINE A FAIT VENIR DES CENDRIERS...
REGARDEZ.
ON PEUT FUMER.

EXCUSEZ-MOI MONSIEUR, IL SERAIT PRÉFÉRABLE QUE VOUS FUMIEZ DEHORS.
DEUX DESSINATEURS CÉLÈBRES QUI ÉTAIENT À LA TABLE DE LA MINISTRE, PASSENT DERRIÈRE MOI.
ALOORS? ON FAIT UN BÔ DESSIN À LA SOUS-MINISTRE?
HA HA
C'EST BIEN ÇA
Riad Sattouf

La vie secrète des jeunes
VU ET ENTENDU DANS LE MÉTRO, À PARIS.
ÉKOUTT C'EST TROP FRAIS ÉKOUTT
NAAAAA NAAAA NIIII YÉÉÉÉÉÉ
HOUUUUUUUU YÉÉÉÉÉÉÉÉÉ
ATTENDS J'VEUX ÉKOUTER CELLE-LÀ
CHANGE
?
HARHH!
C'KOI ÇA... "J'VEUX ÉCOUTER ÇA"... J'ÉCOUTE ALORS FERME TA GUEULE...
C'KOI ÇA...
C'KOI CE KOMPORTEMENT LÀ? "J'VEUX ÉCOUTER ÇA..." T'ÉCOUTES RIEN KOM ÇA TU FERMES TA GUEULE
Riad Sattouf

La vie secrète des jeunes
VU ET ENTENDU DANS UN RESTAURANT, À PARIS...
TU VOIS, CE CHAMPAGNE IL EST POUR TOI ET TES 10 ANS, QUE TU SENTES LE MOMENT.
ET... ET...
CADEAUX !!!
HOOO LES CADEAUX !
C'EST QUOI LES CADEAUX?
ÇA, C'EST UNE TRÈS BELLE MONTRE, POUR QUE TU TE RENDES COMPTE DE LA VALEUR DU TEMPS QUI PASSE, ET QUE TU GARDES TOUJOURS À L'ESPRIT QUE LE TEMPS, C'EST PRÉCIEUX.
LOUIS PION
ET ÇA... TON BALLON DE RUGBY. POUR L'ANNÉE PROCHAINE, QUAND TU FERAS DU RUGBY COMME ON AVAIT DIT.
TU T'JETTERAS DANS LA MÊLÉE.
TÊTE LA PREMIÈRE.
FAIS VOIR.
PASSE
KLANG
NAN LÉOPOLDINE
EXCUSEZ-LES HEIN...
PARDOOOON Hiiii
C'EST RIEN ELLE A RIEN LA BONNE FEMME.
PARDOOONN
Riad Sattouf

Riad Sattouf

La vie secrète des jeunes
VU ET ENTENDU DANS UN FAST-FOOD PLACE DE LA NATION, À PARIS.
FÉ VOAR TON PHONE J'TE DIS.
SÉRIEUX S'TU FÉ ÇA J'VAIS M'VÉNÈRE.
FÉ VOAR.
TIENS, VAZI QU'TU VAS L'REGRETTER.
FÉ VOAR LÉ SMS.
T'AS PAS À AVOIR PEUR SI Y A RIEN.
J'Y CROIS TRO TRO PAS. HEY MAIS T'AS UN PROBLÈME SÉRIEUX.
SÉRIEUX T'ES PSYCHO.
CLIK
CLIK
CLIK
CLIK
VOILÀÀA VOILÀÀA T'VOIS C'QUE J'DIS C'EST CHELOU : C'EST TROP PROPRE TES SMS. C'EST TROP PROPRE, ÇA SE SENT QUE T'AS EFFACÉ DES MESSACHES.
MAIS PUTAIN KI ? KI M'ENVOIE DES SMS ? J'CONNAIS PERSONNE !!!
SÉRIEUX MAIS T'ES UN MYTHO. C'EST TROP PROPRE.
CLIK
CLIK
SUR LA TÊTE DE MA MÈRE AU BLED QUE PERSONNE M'ÉCRIT DES SMS ! SUR LE CORAN J'TE JURE, SUR L'CORAN.
TU JURES SUR LE CORAN ? MAIS T'ES, MAIS T'ES UN... PUTAIN MAIS KOMAN TU OZES ?
AAAARRRRHHHH !!!!!
CHUIS PAS UNE SALOPE DE FRANÇAISE KI SUCE OK ? HAMDULLAH SI T'AS DES PUTES J'TE TUE.
J'TE TUE.
CLIC
CLIK
À SUIVRE...
Riad Sattouf

La vie secrète des jeunes
RÉSUMÉ DE LA SEMAINE DERNIÈRE : DANS UN FAST-FOOD, DEUX AMOUREUX S'ENGUEULENT POUR UNE HISTOIRE DE SMS QUI N'EXISTENT PAS.
CÉ BON MANAN ? TU M'RENDS MON PHONE OU QUOI ?
TIENS...
ATTENDS. JE VÉRIFIE TES APPELS.
PUTAIN D'SA RACE...
CLIK CLIK
CLIK CLIK
PUTAIN ! VAZI JE R'GARDE LÉ ZAPPELS ET KESKE J'TROUVE KOM PAR HASARD 22H43 : LAURA ! CÉ KI CETTE PUTE ?
22H43
CÉ UNE BIATCH KEU J'AI KEN CHEZ AHMED.
PUTAIN-MAIS-BORDEL MAIS LAURA TU L'AS RENCONTRÉE C'EST MA COUSINE MAIS PUTAIN MAIS T'ES UNE VRAIE PSYCHO PUTAIN-PUTAIN-PUTAIN-PUTAIN JE VAIS TE CHERCHER AU BLED, AU PAYS, QUE JE FAIS LA TRADITION, QUE JE ME DIS LES MEUFS DE LÀ-BAS SONT DES MEUFS BIEN ET TOUT ET TOI TU ME SAOULES MAIS MILLE FOIS COMME UNE FRANÇAISE.
MILLE FOIS !
MILLE FOIS SUR MA MÈRE MILLE FOIS !
OUAIS OUAIS BEN C'EST PAS PARCE QUE C'EST TA COUSINE QUE TU FAIS PAS DES SALOPERIES AVEC ELLE TE FOUS PAS DE MOI J'TE JURE TE FOUS PAS D'MOI.
À SUIVRE...
Riad Sattouf

La vie secrète des jeunes
RÉSUMÉ DES SEMAINES PASSÉES : UNE FILLE ULTRA-JALOUSE ESSAIE DE FAIRE AVOUER À SON MEC QU'IL A D'AUTRES PLANS EN FOUILLANT SON PORTABLE.
RENDS MON PUTIN DE PHONE.
RRR... RRR...
J'PEUX RÉPONDRE STEUPLAÎT ?
CÉ KI... APPEL MASKÉ... TU PERMETS ? ALLÔ ?
MAIS J'VAIS TE TUER !
OUAIS CÉ KI... ALLÔ ? J'ENTENDS RIEN... ALLO... SALUT AHMED... OUAIS... NAN... OUAIS J'TE L'PASSS...
AHMED.
T'ES MORTE.
ALLÔ ? OUAIS... J'PEUX T'RAPPELER ? NAN... UN TRUC DE OUF... OUAIS... J'TE RACONTERAI... OUAIS...
C'EST QUOI ?
HEIN ?
LE TRUC OUF QUE TU VEUX PAS LUI RACONTER D'VANT MOI ?
CÉ TOI PUTIN !
Riad Sattouf

La vie secrète des jeunes
LA SEMAINE DERNIÈRE, J'ÉTAIS AU QUÉBEC POUR UN FESTIVAL DE BANDES DESSINÉES. VOICI QUELQUES RENCONTRES AVEC DES QUÉBÉCOIS.
HEY!
HEY!
TABAGIE
HEY M'SIA! T'SAIS-TU NOU SORTIR DÉ CIGÂRRR?
TABERNACK
TSSS
TABAG
"VOUS POURRIEZ NOUS ACHETER DES CLOPES?"
PENDANT LE SALON, DÉDICACE. IL N'Y A PERSONNE POUR MOI. UNE INCONNUE VIENT ME PARLER.
VRAIMIN, VOUS LÉ FRINÇAIS VOUS RIEZ D'NOT ACCINT HEIN? C'BIN L'FUN MAIS C'PÔ SMART
T'SAIS CRISSE QU'ICI C'PÔ NOUS QU'ONAUN ACCINT, C'EST TOUÉ, FAUT PÔ L'OUBLIER T'SAIS
UNE FILLE ME PARLE DES DIFFÉRENCES ENTRE LES RAPPORTS HUMAINS FRANÇAIS ET QUÉBÉCOIS.
ICI C'PÔ COMME CHEZ VOUS T'SAIS, ICI ON EST PLUS FWIENDLY, EN FRINCE YA PLEIN D'MACHOS T'SAIS, ICI UN GARS ET UNE FILLE, Y PEUVENT BIN ÊTRE AMIS T'SAIS
CÉ LÉ FILLES QUI CHOISISSSSENT T'SAIS
J'ÉTAIS À MARSEILLE L'AN POSSÉ T'SAIS ET BIN CRISSE J'POUVAIS PÔ ALLER À LA PLÂGE, QU'Y AVÉ T'JOURS UN ARABE QUI VIENT M'CRUISER COMME ÇÔ LÔ...
QU'JE DIS "NAN CRISS LAISSE MOUÉ TRANQUILLE LÔ" KI COMPREND PÔ ET QUI T'PARLE MAL TABERNACK
ON A PÔ ÇÔ IÇI NOUS T'SAIS...
JE FAIS UNE RENCONTRE DEVANT UN PUBLIC DE PETITES VIEILLES, LÀ PAR HASARD. ON ME DEMANDE DE FAIRE UN DESSIN SUR UN PANNEAU. JE FAIS ÇA:
TABERNACLE
DANS LA SALLE...
VIN ON S'EN VÔ!
OHH
C'T'UN MONDE!
OOOHH
Riad Sattouf

La vie secrète des jeunes

Riad Sattouf

La vie secrète des jeunes
VU ET ENTENDU À BUENOS AIRES, EN ARGENTINE (ET TRADUIT DE L'ANGLAIS POUR LES CLIENTS ET DE L'ESPAGNOL POUR LE GAMIN).
B'JOUR
UNE P'TITE PIÈCE ?
EUH
IL VEUT UNE PIÈCE
NON DÉSOLÉ MON GARÇON
PAUVRE GOSSE !
TIENS, PRENDS ÇA POUR MANGER SI TU VEUX !
HIIIRK !
NAAAN !
NAAAN... J'AI MAL AU VENNNNTRE...
RHOOO LE PAUVRE
TIENS
2 PESOS ? VRAIMENT ? T'ES SÛR ?!?
C'EST BEAUCOUP D'ARGENT !
HAAAN !
2 PESOS ! 2 PESOS ! 2 PESOS !
Riad Sattouf

La vie secrète des jeunes
VU ET ENTENDU À BUENOS AIRES, EN ARGENTINE, DEVANT UN BAR (ET TRADUIT DE L'ANGLAIS APPROXIMATIF).
PSSST...
CHICO... HEY...
AMÉRICAIN?
FRANÇAIS?
J'ADORE LES FRANÇAIS, SALUT MOI C'EST ÉZÉCHIEL CHUIS UN ANGE DE DIEU...
C'EST VRAI CHUIS UN ANGE.
IL EST BEAU TON PRÉSIDENT... T'AIMES LES GARÇONS? MOI MON CHÉRI IL EST EN URUGUAY, CHUIS D'MONTEVIDEO... MAIS J'VIENS FAIRE LA FÊTE ICI C'EST SUPER POUR FAIRE LA FÊTE...
MAIS J'AI HÂTE DE RETOURNER EN URUGUAY POUR FAIRE L'AMOUR AVEC LUI TU VOIS.
TU VEUX D'LA COKE CHÉRI? C'EST BIEN POUR FAIRE LA FÊTE, VOUS LES FRANÇAIS, VOUS ÊTES MES AMIS... 30 PESOS LE GRAMME, POUR TOI QUI ES BEAU COMME TON PRÉSIDENT.
JE LUI RÉPONDS QUE J'EN VEUX PAS, MERCI.
TU MENS MEC, TOUS LES FRANÇAIS, ILS AIMENT CE QUE LEUR DONNE ÉZÉCHIEL, JE SAIS QUE T'AIMES PARCE QUE SARKOZY TON PRÉSIDENT IL EST TROP BEAU COMME TOI, ET QUE T'AIMES LA FÊTE.
JE LUI DIS QUE JE VAIS REJOINDRE MES AMIS À L'INTÉRIEUR.
MEC ACHÈTE MA COKE MEC J'AI BESOIN D'AIDE MEC FAUT QUE J'TROUVE DE L'ARGENT POUR REJOINDRE MON CHÉRI...
Riad Sattouf

La vie secrète des jeunes
VU ET ENTENDU DANS LE MÉTRO, LIGNE 2, À PARIS...
FARID ! HEY FARID !
ÇA VA OU QUOI ? TU T'RAPPELLES ?
?
ÇA VA?
PUTAIN C'EST MARRANT D'TE CROISER.
HI HI HI HAMDULLAH ÇA VA
ALORS? J'TE VOIS LÀ J'ME DIS C'EST FARID OU QUOI, J'REGARDE ET J'FAIS "NAAAN... MAIS C'EST FARID", "C'EST FARID", MAIS COMME T'AS CHANGÉÉÉ...
TOI AUSSI T'AS CHANGÉ.
C'TROP MARRAAAANT ET T'ES ALLÉ OÙ APRÈS L'COLLÈGE? T'ÉTAIS À BERGSON? TU R'VOIS LES AUTRES?
NON. J'AI ARRÊTÉ POUR ÉTUDIER.
T'AS ARRÊTÉ L'ÉCOLE POUR ÉTUDIER?
POUR ÉTUDIER.
L'CORAN.
COMMENT T'ES UN MUSULMAN ET TOUT FRANCHEMENT... T'ES MARIÉ?
NAN EUH J'AI PAS DE FEMME.
TROP MARRANT FARID.
T'ES IMAM?
NAN.
TU FAIS QUOI TU BOSSES? OÙ?...
NAN... Y A PAS DE TRAVAIL POUR LES MUSULMANS...
ICI ILS NOUS DÉTESSS.
ONÉ DÉTESSÉ.
ICI.
DECATHLON
HEIN? QUI C'EST QUI VOUS DÉTESTE?
LÉ CÉFRANS.
C'KI?
Y VOUS DÉTESTENT?
Y NOU DÉTESSS.
DE QUOI?
MAIS Y VERRONT.
MAIS NAN!
HEIN?
TAIN MAIS C'EST TROP TROP MARRANT MAIS FARID MAIS HA HA.
Riad Sattouf

La vie secrète des jeunes

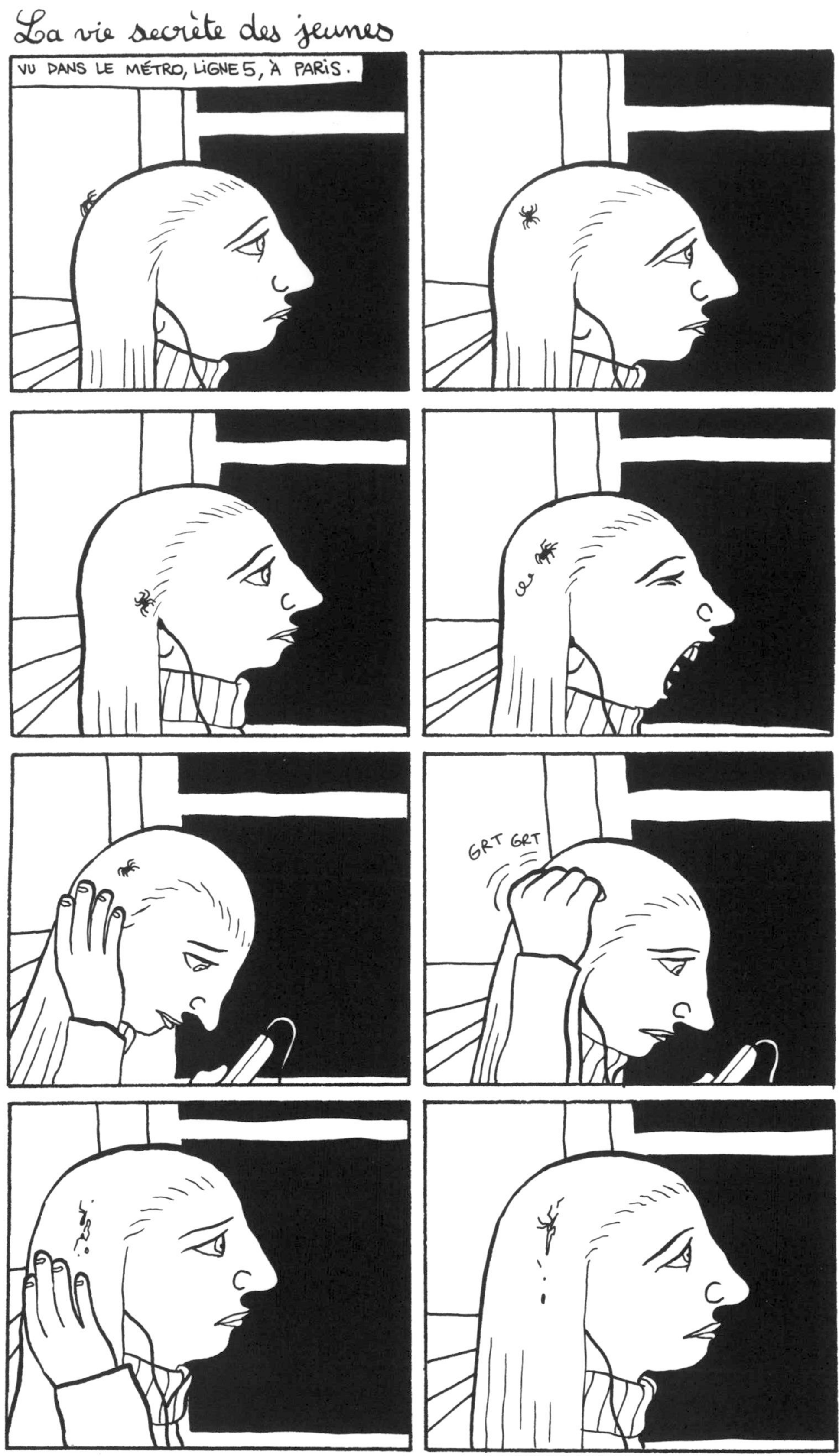

VU DANS LE MÉTRO, LIGNE 5, À PARIS.
GRT GRT

Riad Sattouf

La vie secrète des jeunes
VU ET ENTENDU DANS UN RESTAURANT, À PARIS.
TOUT À L'HEURE, UNE FEMME VIENT AU CABINET, C'EST UNE HABITUÉE. ELLE S'ASSOIT, ET JE LUI FAIS LE PENDULE. JE SENTAIS UN TRUC. LE PENDULE S'EXCITE, JE ME DIS MERDE.
TU AS FAIT UNE VOYANCE ?
BIEN SÛR. C'EST LÀ QUE ÇA A ÉTÉ DUR : NUIT, SANG, BRUIT. PEUT-ÊTRE LA MORT.
TU LUI AS DIT ?
NON. J'AI PAS PU. JE SUIS RESTÉ MUET. JE LUI AI DIT QUE JE VOYAIS RIEN. TU VOIS.
COMPLÈTEMENT : ÇA M'EST DÉJÀ ARRIVÉ AU CABINET AUSSI.
MENU
MENU
EN TOUT CAS, C'EST UNE PÉRIODE LOURDE. IL SE PASSE DES CHOSES LÀ-HAUT.
JE SAIS.
MENU
T'EN SAIS PLUS ? L'ESPRIT ME DIT QUE LES ANGES SONT EN TRAIN DE CHANGER, MAIS IL NE VEUT PAS TOUT DIRE.
OUI. IL Y A DE GRANDS REMOUS, ET UN "SECRET", UN GRAND "SECRET" QUE PLUSIEURS ESPRITS ONT ÉVOQUÉS.
JE M'DEMANDE CE QUI VA SE PASSER.
LES ANGES NE RÉPONDENT PLUS. OU PRESQUE. LES ESPRITS PARLENT COMME S'ILS FAISAIENT ATTENTION.
OUI.
MENU
TU PRENDS UNE SALADE ?
NON, PLAT DU JOUR.
MENU
Riad Sattouf

La vie secrète des jeunes
VU ET ENTENDU DANS LE MÉTRO, LIGNE 9, À PARIS.
ABDEL KADER Y FÉ ATTAKAN, PAS UN BALLON Y TOUCHE HAHA
T'SÉ QUOI, TSÉ QUOI, L'GARS Y VIENT DANS LA SURFACE Y DRIBBLE Y A PERSONNE
LA PASSE LA PAS
MARTIN! MARTIN!
MARTIN!
KOI? KOI?
VAZI J'TE PARLE PAS
IL ATAK HAHA MAIS J'ME DIS J'VAIS L'TAPER SI Y FAIT PAS LA PASSE
MARTIN PUTAIN
T'SÉ KAN IL É ARRIVÉ D'VANT LA KAGE YL HÉSITE LE FILS DE PUTE
MAIS KOI KESSTUVEUUUU ??!
HEY MARTIN C'EST TOI L'BOLOSS?
TAIN J'VÉ T'TAPER TOI.
C'EST ÇA C'EST ÇA
T'ES INTELLIGENT OU QUOI?
MARTIN MERDE MARTIN!
MARTIN-MARTIN-MARTIN
HEY BOLOSS TU RÉPONDS?
Y FÉ LA PASSE É LA J'FÉ NAAAAN
CLAC
SALE SORCIÈRE VA...
MAIS! PUTAIN J'Y CROIS PAS!
Riad Sattouf

La vie secrète des jeunes
VU ET ENTENDU DANS LE 3E ARRONDISSEMENT À PARIS.
QUENTIN ! VIENS LÀ !
JO ! JO ! JOOOO AU PIEEED !
JOOO NON !
JOOO REVIENS ICI TOUT DE SUITE.
FFF
JO !
JO !
FFFF
FF
FFF
OUSTE OUSTE
PUTAIN OUSTE
FFF
LA LAISSE PUTAIN C'EST INTERDIT PUTAIN
JO ÇA SUFFIT.
LA LAISSE !!!
LÂCHE L'AFFAIRE LÂCHE L'AFFAIRE TOI !
JO TU FAIS PAS ÇA ! TU FAIS PAS ÇA !
Riad Sattouf

La vie secrète des jeunes
VU ET ENTENDU MÉTRO NATION, À PARIS.
HEY !
TU T'DÉCOUVRES QUAND T'EMBRASSES UNE DAME !
?
CRS
NAN SI J'RETIRE MA CASQUETTE, J'DEVIENS VIOLENT.
CRS
HEIN ?
T'AS DIS QUOI LÀ ?
RÉPÈTE ?
C'EST BON LES GARS ON Y VA...
SI J'TE REVOIS, TOI.
SI J'TE REVOIS.
ALLEZ ON EST À LA BOURRE.
Riad Sattouf

Riad Sattouf

La vie secrète des jeunes
VU EN FACE DE MOI, DANS LE MÉTRO LIGNE 9, À PARIS.
VOUS LISEZ LE CANARD ENCHAÎNÉ ?
HA NON C'EST CHARLIE HEBDO.
VOUS AIMEZ ? ÇA VOUS PLAÎT ?
MOI PAS DU TOUT.
J'ME PERMETS HEIN.
J'LE REGARDE DE TEMPS EN TEMPS.
MOI JE TROUVE QUE LIRE ÇA, ÇA REND COMPLEXÉ DU CERVEAU. ÇA REND PETIT.
J'DIS COMME J'LE PENSE.
ON DOUTE DE TOUT APRÈS.
PAR EXEMPLE, QUAND Y AVAIT CÉCILIA, Y LA DESSINAIENT MOCHE, AVEC DES PETITS YEUX VOUS VOUS RAPPELEZ ?
ILS ÉTAIENT MÉCHANTS ! MAIS MÉCHANTS !
TOUJOURS LE PETIT TRUC QUI PEUT FAIRE MAL.
ALORS QU'EN VÉRITÉ, ELLE EST BELLE CÉCILIA.
ON PEUT DIRE CE QU'ON VEUT : ELLE EST BELLE.
C'EST UNE TRÈS BELLE FEMME.
NON ?
JE LUI RÉPONDS QUE JE M'EN FOUS, MAIS QU'ELLE A QUAND MÊME UNE TÊTE QUI FAIT PEUR, CÉCILIA.
VOILÀÀÀ... C'EST ÇA D'LIRE CHARLIE HEBDO : VOUS VOYEZ J'VOUS AVAIS DIT.
J'IMAGINE QUE CARLA BRUNI, ELLE VOUS PLAÎT PAS NON PLUS ?
VOUS ALLEZ ME DIRE QU'ELLE EST MOCHE AUSSI ?
C'ÉTAIT UN MANNEQUIN !
VOUS VOYEZ ?
VOUS VOYEZ PLUS LE MONDE COMME IL EST.
VIENS C'EST LÀ.
Au revoir
Riad Sattouf

La vie secrète des jeunes

VU ET ENTENDU À PARIS, DANS UN CAFÉ AVENUE DORIAN.

QU'EST-CE QUE J'VOIS QUI SORT DU FOURRÉ ? UN RENARD COMME ÇA, COMME ÇA ! IL ZIEUTE ET PLONGE DANS LE FOSSÉ. MOI : LE TEMPS DE RIEN.

J'ME DIS : IL A FILÉ, J'L'AI PAUMÉ, Y VA GLISSER PA' L' FOSSÉ ET J'LE REVERRAI PLUS.

ET TOUDINKOU !

Y R'SSORT DU FOSSÉ, EN FACE DE MOI !

AH ! LE CON.

MOI : J'LE POINTE.

PINGGG !

J'LUI EMMÈNE LE HAUT D'LA TÊTE

Y TOMBE DANS L'FOSSÉ.

J'Y VAIS, ET DANS L'FOSSÉ : RIEN ! ET LÀ JE R'GARDE PLUS HAUT... OH NOM DE DIEU J'VOIS L'RENARD QUI R'TOURNE DANS L'FOURRÉ.

!

MERDE J'RECHARGE HOP POINTÉ PINNG ! JI ARRACHE LES DEUX PATTES ARRIÈRE.

C'ÉTAIT BON ! J'Y ENVOIE MA CHIENNE... ET J'ENTENDS DES CRIS ET ÇA COUINE...

ET BEN LE BESTIAU, LA TÊTE ARRACHÉE, LES DEUX PATTES EN MOINS, Y TROUVAIT L'MOYEN D'ATTAQUER LA CHIENNE !

ALORS LÀ : ♫

HO PUTAIN JE RECHARGE BLAM ÉCRABOUILLÉ TOI MON SALAUD !

L'PUTAIN DE PÉPÈRE !

ATTENDS ON VA DEMANDER DU PAIN.

Riad Sattouf

La vie secrète des jeunes
VU ET ENTENDU AU BAR DU TGV PARIS-LYON
C'EST MARRANT DE SE VOIR LÀ, TU REMONTES SOUVENT PAR CELUI-LÀ?
BEN OUAIS HAHA T'ES AVEC BENOÎT?
NAN CHUIS AVEC STÉPHANE, IL PIONCE.
STÉPHANE CONNAIS PAS.
SI JE T'EN AI PARLÉ C'EST LE GROS CHAUD...
J'M'EN SOUVIENS PLUS.
J'T'AI PEUT-ÊTRE PAS RACONTÉ IL BOSSE AVEC YANN, TU VOIS?
NAN?
ÉNORME CHAUD STÉPHANE.
LE GARS, C'EST UN PUR GOSSBO, JAMAIS UN SOUCI POUR EMBALLER UNE MEUF TU VOIS LE GENRE? TOUTES LES NANAS DU BUREAU LUI SOURIENT TOUTE LA JOURNÉE... ET YANN, DONC LE GARS QUI BOSSE AVEC, M'A RACONTÉ C'ÉTAIT QUOI SON KIFF...
LE GARS STÉPHANE, SON KIFF, C'EST DE BRANCHER DES MEUFS N'IMPORTE OÙ : BOÎTES, CHAMPION, OU EN DÉPLACEMENT, VU QU'IL EST TROP BEAU ET BIEN STOCKMA, AUCUN SOUCI, LE GARS AGRÉABLE À MORT. APRÈS, LES MEUFS, IL LES RAMÈNE CHEZ LUI, OU DANS SON HÔTEL, ULTRA FRIENDLY.
À CE NIVEAU, IL A RIEN FAIT, PAS DE PELLES, RIEN TU VOIS, BON ESPRIT. ÉVIDEMMENT, LES MEUFS, ELLES EN PEUVENT PLUS, ELLES SONT FOLLES. LUI, IL S'APPROCHE DE LA MEUF. LENTEMENT. ET LÀ, MAIS C'EST OUF, IL VIRE LE PANTALON OU LA ROBE DE LA MEUF...
...ET IL L'ENCULE DIRECT.
NAAAN...
IL L'ENCULE. TOUTES LES MEUFS, IL LEUR ROULE MÊME PAS DE PELLES, IL LES ENCULE.
ÇA VA... TOUTES LES MEUFS KIFFENT PAS LA SODOMIE...
ATTENDS PEUT-ÊTRE, MAIS QUAND C'EST BRAD PITT QUI T'ENCULE TU DOIS PAS TROP HÉSITER.
5 MINUTES PLUS TARD...
SALUT...
STÉPHANE, ÉRIC, ÉRIC, STÉPHANE
LA FORME?
Riad Sattouf

La vie secrète des jeunes
VU ET ENTENDU À PARIS, DANS UN CAFÉ PRÈS DU CANAL SAINT-MARTIN...
TIOU TIOU
MARJORIE : LA BEAUTÉ.
COMMENT ÇA VA ANTHONY...
APRÈS TOUT CE TEMPS ...
T'AS CHANGÉ D'VOITURE, T'AS PLUS TON ÉNORME MERCEDES ?
NAAAN... MAINTENANT LA BOÎTE ME LOUE DES VOITURES... J'EN CHANGE TOUTES LES 3 SEMAINES...
J'ME FAIS PLUS CHIER...
COMME ÇA SI J'ME SENS SPORT, J'PRENDS UNE SPORTIVE, SI J'ME SENS SMOOTH, J'PRENDS UNE BELLE BERLINE...
DONC CES TEMPS-CI T'ES SPORT ALORS...
EXACTEMENT.
ÇA FAIT BIEN 1 AN QU'ON S'EST PAS PARLÉ, QUAND J'AI VU TON NOM SUR LE TÉLÉPHONE J'Y CROYAIS PAS...
J'ME SUIS DIT : "ANTHONY, LE REVOILÀ"...
MARJORIE AVANT TOUTE CHOZE...
PÉRMÉ MOI DE TE DIRE QUE TU ES ENCORE PLUS SOMPTUEUZZZE QU'AVANT.
HOLÀ ARRÊTE. ATTENDS.
À SUIVRE ...
Riad Sattouf

La vie secrète des jeunes
RÉSUMÉ DE LA SEMAINE DERNIÈRE : ANTHONY, UN GOLDEN BOY ESSAIE DE REMETTRE LE COUVERT AVEC MARJORIE, UNE EX QUI N'A PAS L'AIR MOTIVÉE.
ENLÈVE TA MAIN S'IL TE PLAÎT.
ÉCOUTE, J'AI PLUS ENVIE DE CE GENRE DE RELATION. JE VEUX DU CONCRET, DU CONSTRUCTIF. JE VEUX PLUS ÊTRE TON OBJET, MÊME SI J'AI AIMÉ ÇA À UNE ÉPOQUE.
TU COMPRENDS ?
NON. MAIS JE LE CONCEPTUALISE.
TU DÉBARQUES UN AN ... VOIS ?
CONNAIS-TU CYZIA ZYKË ?
NON QUI C'EST ?
UN HOMME D'EXCEPTION.
AVENTURIER, BANDIT, CHERCHEUR D'OR, ÉCRIVAIN... CE MEC EST MON DIEU, MON MODÈLE. T'AS JAMAIS LU "ORO" ? UN SUPERBE BEST-SELLER QU'IL A ÉCRIT... DES HISTOIRES VIOLENTES, DRÔLES, TERRIFIANTES... SA VIE.
IL PREND CE QU'IL Y A À PRENDRE DANS LA VIE ET LAISSE LE RESTE AUX CHIENS.
C'EST QUE DES ANECDOTES DE FOU, PAR EXEMPLE IL ALIGNE DES PUTES COMME ÇA, DANS LA JUNGLE... IL A TROP ENVIE DE BAISER MAIS BON AVEC LES MALADIES... ALORS HAHA... IL LEUR DÉSINFECTE LE CUL AVEC UN CITRON HA HA HA HA
HA HA... SNFF...
QUE DES HISTOIRES SUPER DANS LE GENRE...
SNFF...
BREF. IL DIT : " JE NE SUIS PAS FAIT POUR LE MONDE DES LOIS. JE CHERCHE L'AVENTURE EXTÉRIEURE."
C'EST EXACTEMENT CE QUE JE TE PROPOSE POUR NOUS DEUX.
À SUIVRE...
Riad Sattouf

La vie secrète des jeunes
RÉSUMÉ DES ÉPISODES PRÉCÉDENTS: ANTHONY, UN GOLDEN BOY, TENTE DE REMETTRE LE COUVERT AVEC MARJORIE, UNE EX QUI LUI RÉSISTE...
NON MAIS TON COUPLET SUR LA LIBERTÉ, J'LE CONNAIS PAR COEUR ET J'VEUX PAS L'ENTENDRE.
D'ACCOOORD D'ACCOOORD...
TU ME LE RESSORS À CHAQUE FOIS ET TU FINIS PAR VOULOIR M'EMMENER DANS UNE BOÎTE À PARTOUZE!
HAHAHA
C'EST PLUS DRÔLE
C'EST PLUS DRÔLE ANTHONY.
T'EN AS PAS MARRE D'ÊTRE COMME ÇA? TU VEUX PAS T'POSER UN PEU? TU VAS CONTINUER JUSQU'À QUAND À FAIRE LE FOU?
JE NE PEUX PAS TE RÉPONDRE.
TU SAIS, IL Y A PLUSIEURS FAÇONS DE VIVRE. MOI, TRÈS JEUNE, J'AI DÉCIDÉ QUE JE VIVRAIS VRAIMENT. TOUT CE QU'IL Y A DE BIEN DANS LA VIE, JE LE VEUX. TOUT DE SUITE. JE DOIS TROP AVOIR CONSCIENCE DU TEMPS QUI PASSE. PEUT-ÊTRE.
C'EST-À-DIRE?
LE TEMPS... LES ANNÉES... LA MORT. NON MAIS C'EST VRAI, IL Y A LA MORT DERRIÈRE LE TEMPS. MOI, À MON PETIT NIVEAU, JE N'PEUX OPPOSER À TOUT CELA QU'UNE CHOSE: VIVRE. SI JE VIS PAS, JE MEURS. JE LE SAIS.
MAIS POOOSE-TOI... TU VERRAS QUE TU PEUX VIVRE AUSSI.
SANS DOUTE. TU SAIS, JE SOUFFRE DE ÇA. J'AIMERAIS ÊTRE COMME TOI, BELLE ET CONSCIENTE DE LA RÉALITÉ. DIRE: VOILÀ, L'ESSENTIEL, C'EST ÇA, ÇA ET ÇA. CONSTRUIRE. MAIS JE SUIS FOU PEUT-ÊTRE. OU IMMATURE. OU LES DEUX. HAHA. CHUIS DÉSOLÉ.
MAIS NOOON, T'ES COMME T'ES, VOILÀ TOUT, POINT.
10 MINUTES PLUS TARD
Riad Sattouf

La vie secrète des jeunes
VU ET ENTENDU MÉTRO PARMENTIER, À PARIS…
HEY SKUZE-MOI… T'AS UNE KLOPE STEUPLÉ?
HEU NAN DÉSOLÉ
HEY MAIS J'T'AI VU FUMER DEHORS! J'T'AI VU! T'ES UN… T'ES UN…
MENTEUR!
AFFABULATEUR
BARATINEUR
MYSTIFIKATEUR
DISSIMULATEUUR
MALFÉTEUR KI M'KASSE LÉ KOUILLES
J'VÉ T'METTRE UNE DOUILLE
ET APRÉ J'TEU FOUILLE
HÉ HO T'AS PAS L'IMPRESSION D'ÊTRE UNE NOUILLE?
HA-HA-HA- J'GOLERiiii
J'GOLERiiii HA-A-A-A-A
AAAA
Riad Sattouf

Riad Sattouf

La vie secrète des jeunes
VU ET ENTENDU DANS UNE SALLE DE JEUX À MONTPELLIER.
PUNCH
VLAK
900
'GAAD POPO! ILAFÉ 900! ILAFÉ 900! ILÉFOR! ILÉ FOR POPO!
HEIN? ILÉFOR.
AHNN!
TU VEUX TAPER? ALLEZ! TAPE COMME POPO! TAPE! TÉFOR KOM POPO!
HOU OUI!
HOU OUI C'EST BIEN ÇA!
HOUUU
HOUUU
ALLEZ! ALLEEEEZ TAPE ENCORE! ALLEZ! ALLEZ PLUS FORT! ALLEZ!
GNNNN!
ALLEEEZ!
CLAC!
HOLÀ! HOLÀ! ILAPRI UN KOU! HOULÀ! TOUCHÉ! HI HI HI!
TOUCHÉ!
HI HI HI!
HO C'EST UN HOMME ÇA!
HÉ! HÉ! KESTAFÉ? KESTA ENKOR FÉ? Y PARAÎT K'TAS KASSÉ LA MACHINE! LE VIDEUR Y VEUT T'METT' EN PRISON! KESTA FÉ ENCORE? NOUS ON T'LAISSE LÀ NOUS! HEIN MOMAN! HEIN?
HOBIN ON T'LAISSE LÀ TATOUKASSÉ!
HAHAHA HA MÉÉÉNAAN
HAHAHA!
Riad Sattouf

La vie secrète des jeunes
VU ET ENTENDU DANS UNE SALLE DE JEU À MONTPELLIER.
AÏE
PUNCH
CLAC!
HAHA PUTAIN BONJOUR LES FRACTURES !
ON A ENCORE DEUX COUPS, LAISSE-MOI ESSAYER.
HAHA
DRISS ! J'TE PARIE KI FÉ PAS 300 ! Y FÉ PAS 300 !
HAR ! HAR !
205
HEY M'SIEUR TU T'FAIS MAL !
HAHA 225...
NCH
225
Hi Hi Hi
HAHA
HEY M'SIEUR J'PEUX TAPER UNE FOIS ? JUSTE UNE FOIS M'SIEUR !
BAH EUH
VAZI LAISSE-MOI TAPER !
BEN... EUH... BON C'EST QUI LE PLUS FORT D'ENTRE VOUS ?
BRENDON! BRENDON VIENS !
BRENDON C'EST L'PLUS FORT !
MONTRE C'EST KOI LA BOXE THAÏ. MONTRE-LEUR. MONTRE-LEUR BIEN.
TIENS-MOI.
DÉTRUIS-LES HAHA
1225
VLAA!
1225 YEEES !
TAVU M'SIEUR.
HA HA
Riad Sattouf

La vie secrète des jeunes
VU ET ENTENDU DANS UN CAFÉ SUR LES GRANDS BOULEVARDS, À PARIS...
ON PEUT MÉFU SUR LA TERRASSE ?
OUAIS
EXCUSEZ-MOI ? VOUS AVEZ 16 ANS ? J'PEUX VOIR VOTRE CARTE D'IDENTITÉ ?
C'EST BON ON A 16 ANS C'EST BON...
ON A DÉJÀ COMMANDÉ EN PLUSSSSE...
LE GROS LOURD HAHA FILE-MOI UNE CLOPE.
VAZI DOUCEMENT ENCULÉ.
QUAND T'ES CÉLÈBRE TA VIE ELLE CHANGE TROP, TU PEUX PLUS CONTINUER À ÊTRE COMME AVANT...
JE CROIS QUE C'EST CLAIR.
T'AS DES MEUFS ELLES MONTENT SUR SCÈNE ELLES VEULENT TE SUCER... BASTIEN IL M'A DIT QUE ÇA LUI ARRIVAIT.
IL FAIT QUOI DANS CES CAS-LÀ ?
IL LEUR DIT : "T'ATTENDS LA FIN DU CONCERT STEUPLAÎT".
ALORS LES COCKTAILS : "BLUE TEMPTATION" ?
OUAIS.
"SEX ON THE BEACH" ?
EUH LÀ.
ET "SCREAMING ORGASM".
OUAIS.
Riad Sattouf

La vie secrète des jeunes

La vie secrète des jeunes

VU ET ENTENDU DANS UN FAST-FOOD PLACE DE LA RÉPUBLIQUE À PARIS...

TU RESTES LÀ J'VAIS CHERCHER LES SANDWICHS. TU BOUGES PAS

J'REGARDE LES VOITURES

Smart...

Mégane...

Mégane encore

Velsatis...

Twingo 2

Avréus

Citroën C4

Clio

ATTENDS BOUGE PAS JE M'ASSOIS

WÉÉÉÉ CÉ QUOI LE JOUET MAMAN

CÉ KOI

HAPPY MEAL

HAPPY MEAL

KHHH

KESKYAAA??!

HAPPY MEAL

MAIS C'EST UN JOUET POUR LES FIiiiLLES C'EST POUR LES FILLES

MAIS NON MAIS REGARDE C'EST L'ABEILLE DU FILM

MAIS NAAN MAIS C'EST POUR LES FILLES

Riad Sattouf

La vie secrète des jeunes
VU ET ENTENDU RUE DU FAUBOURG-SAINT-DENIS, À PARIS.
FAIS ATTENTION À PAS REFAIRE LÉ ZÉREURS DU PASSÉ MA SOEUR, FÉ ATTENTION À ÇA...
NAN MAIS C'GAILLARD J'LUI DONNE UNE CHANCE, J'LUI DONNE UNE CHANCE.
MÉFIE-TOI QUAND MÊME. FAIS ATTENTION. SOIS PRUDENTE. ÉCOUTE-MOI : SOIS PRUDENTE.
RRRR RRRR
NA ATTENDS.
APPEL MASQUÉ.
BIZARRE.
ALLÔ ? ALLÔ ? ALLÔ C'EST KI LÀ ? ALLÔ ? HAAA NADIA ÇA VA ? HÉ BEN... HO ÇA VA, ÇA PEUT ALLER... NON... HO NON. PAS ENCORE LES VACANCES.
ET TOI ALORS, LES VACANCES ALORS ? OÙ T'EMMÈNES TES P'TITS ?
EN BELGIQUE ?
QU'EST-CE QUE TU VAS FAIRE EN BELGIQUE ?
LA PLAGE ? EN BELGIQUE ? ÇA VA PAS !!! FAIS ATTENTION AUX ENFANTS ! LA MER EST PROFONDE LÀ-BAS !
NA... NADIA ÉCOUTE-MOI TU LAISSES PAS LES ENFANTS SE BAIGNER. D'ACCORD ?
LA MER EST ARCHIPROFONDE LÀ-BAS.
SURTOUT... SURTOUT... NON NADIA ÉCOUTE-MOI... ÉCOUTE-MOI. SURVEILLE BIEN LES ENFANTS. SURTOUT, LES LAISSE PARLER À PERSONNE. À PERSONNE.
LES LAISSE PARLER À PERSONNE, EN BELGIQUE, ILS SONT TOUS PÉDOPHILES.
SUR LA VIE D'MA MÈRE CÉ DÉ PÉDOPHILES.
Riad Sattouf

L'incroyable Cizia Zykë en vrai

"... IL PARLE UN FRANÇAIS TRÈS RECHERCHÉ, UN FRANÇAIS D'UNE AUTRE ÉPOQUE..."
J'AI PASSÉ MA VIE À CHERCHER DES AVENTURES LOIN DE LA CIVILISATION.
J'AURAIS AIMÉ VIVRE AU XIXe SIÈCLE. J'Y AURAIS ÉTÉ HEUREUX JE PENSE. AUJOURD'HUI, LA CIVILISATION EST PARTOUT.
C'EST SANS DOUTE UN BONNE CHOSE, MAIS IL EST PLUS DIFFICILE DE VIVRE L'AVENTURE.
"... POUR LUI, LA LITTÉRATURE EST LA REINE DES AVENTURES."
JE LISAIS ÉNORMÉMENT ÉTANT ENFANT. LE MONDE DES LIVRES, L'ÉDITION, C'ÉTAIT UN UNIVERS SACRÉ POUR MOI.
ÉVIDEMMENT, QUAND J'AI COMMENCÉ À PUBLIER, J'AI ÉTÉ SURPRIS PAR TOUT CE CIRQUE...
PAR TOUS CES BRANQUIGNOLLES...
HAHA
UN JOUR, J'ÉTAIS ENTRE DEUX AVENTURES, DE PASSAGE EN EUROPE. J'AVAIS BESOIN D'ARGENT, ALORS JE SUIS ALLÉ CHEZ MON ÉDITEUR.
MES LIVRES GÉNÉRAIENT BEAUCOUP D'ARGENT À L'ÉPOQUE.
J'ENTRE DANS SON BUREAU ET LUI DEMANDE 500 000 BALLES TOUT DE SUITE.
IL REVIENT TERRORISÉ, AVEC UN CHÈQUE. JE LUI DIS : "C'EST QUOI ÇA ? JE VEUX DE L'ARGENT."
JE L'AI OBLIGÉ À RETIRER 500 000 FRANCS EN LIQUIDE, À LA BANQUE EN BAS. J'AI MIS LE TOUT DANS UN SAC POUBELLE ET JE SUIS PARTI.
RÉCEMMENT, J'AI FAILLI MOURIR.
J'AI EU UN PLASMODIUM FALCIPARUM, UNE FORME DE MALARIA CÉRÉBRALE. LES MÉDECINS ME PENSAIENT CONDAMNÉS, J'ÉTAIS DANS UN MOUROIR. J'ÉTAIS FINI. C'ÉTAIT TRÈS DUR, MAIS JE SUIS PARTI, JE N'AI PAS PRIS LEURS MÉDICAMENTS. J'AI FINI PAR GUÉRIR, SEUL.
J'AI TOUJOURS VOULU PROFITER DE LA VIE SANS CONTRAINTE.
JE SUIS UN JOUISSEUR.
"... JUSTE AVANT LE COSTA RICA, CIZIA A CONNU UN DRAME TERRIBLE, LA PERTE DE SON ENFANT, À L'ÂGE D'UN AN..."
VOYEZ-VOUS, MON FILS EST MORT DANS MES BRAS, BRUTALEMENT.
ALORS, MA FEMME DE L'ÉPOQUE ET MOI SOMMES PARTI NOUS PERDRE.
POUR TENTER D'OUBLIER. C'EST COMME CELA QUE NOUS AVONS ATTERRI AU COSTA RICA, DANS CETTE JUNGLE...
JE VOULAIS OUBLIER LES IMAGES ET LES SOUVENIRS DE MON FILS.
PUIS UN JOUR, JE ME SUIS RÉVEILLÉ DANS LA FORÊT, ET CHOSE INCROYABLE, J'AVAIS OUBLIÉ. MA PEINE AVAIT PASSÉ.

"... CIZIA, IL AIME LES FEMMES, TU VOIS, ET C'ÉTAIT DINGUE, PARCE QUE LES SERVEUSES DU RESTAURANT ÉTAIENT TROUBLÉES, ELLES SE DEMANDAIENT QUI IL ÉTAIT."
JE N'AI JAMAIS RIEN DEMANDÉ AUX FEMMES. ELLES NE ME DEMANDENT RIEN EN RETOUR.
LE COUPLE, LA FIDÉLITÉ, SONT DES CONTRAINTES, HORS JE NE SUPPORTE PAS LES CONTRAINTES.
"CE CHARISME ÉTRANGE, CIZIA EN EST CONSCIENT. IL L'A AIDÉ TOUTE SA VIE À ÉCHAPPER À LA MORT. RÉCEMMENT, IL A ÉTÉ ARRÊTÉ EN GUYANE POUR "COMPLICITÉ DE RAVITAILLAGE D'ORPAILLEURS CLANDESTINS" PAR LES FORCES SPÉCIALES FRANÇAISES..."
LES FLICS SONT ARRIVÉS, ILS ÉTAIENT SYMPA. ILS CONNAISSAIENT MES LIVRES, ON A FAIT DES PHOTOS ENSEMBLE ET JE LEUR AI DÉDICACÉ LEURS CASQUES.
JE PEUX MONTRER LES PHOTOS, MAIS ILS M'ONT DEMANDÉ DE NE PAS LES PUBLIER, JE RESPECTE CELA.
HAHA.
"MANIPULER LE CERVEAU DES HOMMES, CIZIA APPELLE ÇA "BOUFFER LE CRÂNE". À UN MOMENT, UN CLOCHARD S'APPROCHE DE NOUS..."
HEY T'AS PAS UNE CLOPE HEY
"SANS SOURCILLER, IL LUI TEND SON PAQUET..."
"... EN LUI SORTANT LA CLOPE."
SERS-TOI.
TIENS
HAHA MERCI
IL A CHANGÉ EN 5 SECONDES !
OUAIS PAS MAL... PAS MAL... MOI J'CROIS QU'IL T'A BOUFFÉ LE CRÂNE AUSSI.
MAIS PAS DU TOUT...
LE LENDEMAIN, MON COPAIN M'APPELLE.
MEC PUTAIN. J'AI RÊVÉ DE CIZIA ZYKË CETTE NUIT... ALORS QUE JE SAIS MÊME PAS À QUOI IL RESSEMBLE...
C'EST STRESSANT UN TYPE COMME ÇA, PARCE QU'AVEC TOUTES SES AVENTURES, AVEC SA VIE... EN FAIT TOUT CE QU'IL EST TE DIT...
C'EST QUE TOI, TU VIS PAS
Riad Sattouf

La vie secrète des jeunes

Riad Sattouf

La vie secrète des jeunes
VU ET ENTENDU À PARIS, MÉTRO RÉPUBLIQUE...
ARRÊTE !
VIN LÀ.
ABALEUUH
BNNNL
HO !
HÉ !
TIN.
PRENLABAL.
HO !
VIN ISSI !
ZIZOU !
PAH
HA BA.
AHIN
AHIN AHIN
AHIIIIIIINN
Riad Sattouf

La vie secrète des jeunes
VU ET ENTENDU DANS UN MAGASIN DE PRODUITS SURGELÉS RUE D'AVRON, À PARIS.
MAIS ÇA VA PAS QU'EST-CE QUE TU LÈCHES ?!?
C'EST CACA PAR TERRE ! CACA !
PUTE ♪ PUTE PUUUTE PUUUTE ♫
PUTE ♫ PUTE ♪ PUUTE
7 EUROS 60 MADAME
♪ PUUTE ♪ PUTE
VOILÀ
MERCI BONNE JOURNÉE
Riad Sattouf

La vie secrète des jeunes
VU ET ENTENDU DANS LE RER B AU BOURGET...
HEY... HEY T'SAIS KOI...
HNT ?
J'VÉ ALLER TÉMA LA KOMÉDIE MUSIKALE DU ROI LION.
HA OUAIS?
OUAIS JÉ VU DÉ ZARTIKLES, IL PARÉ QU'ÇA DÉCHIRE.
HA OUAIS ?
FRANCHEMENT CÉ BIEN... TRO BON SPEKTAKLE...
LÉ DÉCOOORS, LÉ DANSEUURS... LA ZIIIIK... SÉRIEUX ÇA DONNE ENVIE.
FROTT FROTT
HEY... HEY T'SAIS QUOI... T'SAIS C'QUE J'VOUDRAIS FAIRE MOI ?
NA?
J'VOUDRÉ ALLER DANS UN INSTITUT DE SOINS M'FAIRE FAIRE UN MASSACHE FACIAL.
TAIN OUAIS UN MASSACHE...
J'AI LA PEAU QUI TIRE TROOOP...
C'EST SEC MAIS TROP SEC...
Riad Sattouf

La vie secrète des jeunes

VU ET ENTENDU À PARIS DANS LE MÉTRO, LIGNE 9...
?
HEY MAIS T'AS FÉ KOI LÀ?

PARDON? HEIN?
T'AS FAIS UN BRAS D'HONNEUR OU KOI ?

HEIN ?
? ?
C'EST KOI TÉ UN HOMME OU KOI ? TU FÉ DÉ BRAS D'HONNEUR DANS L'DOS OU KOI ?
À DÉ MEUFS ?
À DÉ MEUFS EN PLUSSE ?

? ? ? ? ? ?
VAZI FÉ-LE EN FACE SI TÉ UN HOMME
FÉ-LE EN FASSSSE FÉ

VAZI TU VAS FAIRE QUOI LÀ ? HEIN ? SALE PÉDÉ ! SALE PÉDÉ FÉ-LEU EN FACE TÉ UN HOMME TOI ? C'EST ÇA UN HOMME ?
!!!
SALE PÉDÉÉÉ

MAIS LÂCHEZ-MOI JE
TFF!

VAZI TU VAS FÉRE KOI ? TU VAS M'FRAPPER ? TU VAS M'FRAPPER ? SALE PÉDÉ !
VIENS ON DESCEND

?
J'CRASHE SUR TOA SALPÉDÉ J'CRASHE SUR TOA !

Riad Sattouf

La vie secrète des jeunes

Riad Sattouf

La vie secrète des jeunes
VU ET ENTENDU DANS LE MÉTRO, LIGNE 5, À PARIS...
BLOP BLOP
MESSAGE: HELLO MISS KOMAN T ABIYÉ ?
RÉPONSE PKOI TU VEU SAVOIR SA ?_
BLOP BLOP
MESSAGE SA ME FÉ BANDÉ 2 SAVOIR LOL
CLAP
Riad Sattouf

La vie secrète des jeunes
VU ET ENTENDU À RENNES, RUE LE BASTARD ...
HAHAHAHA
WOOOOOO
KHHH!
HAHA EXCELLENT COMMENT ELLE FLIPPE LA VIEILLE
HAHAR
HÉWWW
PFFHAHA
HHHH
HAHA SUPER ÇA FAIT VRAIMENT TROP PEUR!
HEY!
T'AS UN PROBLÈME SALE FILS DE PUTE ?
GHHH
SALE FILS DE PUTE DE TA RACE DE TA MÈRE
ENCULÉ DE TES MORTS
HHH
Riad Sattouf

La vie secrète des jeunes

VU ET ENTENDU DANS UN "PUB" À PARIS, DANS LE FUTUR.
ET LÀ J'LUI DIS : Y A "UNE" MEUF DANS LA BOÎTE, DÉSOLÉ ELLE EST POUR MOI : CHUIS LE PDG.
HAHAHA

J'VAIS R'PRENDRE LA MÊME.
C'ÉTAIT UN JUS DE POMME.
OUAIS.
MOI AUSSI PATRON !

SALUT LES COCOS.
AHMED ! COMMENT ÇA VA ?
HAMDULILAH ÇA VA.

QU'EST-CE QUE TU FOUS LÀ ?
BEN JE RENTRE JUSTE DE LA MECQUE, C'ÉTAIT PUISSANT.
GRANDE EXPÉRIENCE DE FOI.

NOUS ON ÉTAIT À LOURDES LA SEMAINE DERNIÈRE.
BEAUCOUP D'ÉMOTION AUSSI.
UN JUS DE POMME.

HEP LES MECS. REGARDEZ CE QUI ENTRE.
WOW.

HO MERDE MATE LE MEC...

LAISSE TOMBER... LES NANAS DÈS QU'IL Y A UN NON-MODIFIÉ QUI PASSE, ELLES DEVIENNENT DINGUES.
PUTAIN ILS METTENT DES PLOMBES À DISPARAÎTRE...

Riad Sattouf

La vie secrète des jeunes
VU ET ENTENDU À PARIS, RUE DU TEMPLE...
MOI MOI MOI
MOI CHUIS EUH BATIZÉÉÉ
HGN
MOI ET BEN AUSSI. J'AVÉ CINQ ANS JÉ BATIZÉ
ET TOI ET TOI TÉ BATIZÉÉÉ
MOI EUH NAN MA MÈRE ELLE DIT NAN
IL É PA BATIZÉÉÉ !
SIII TÉ BATIZÉ
NAN MA MÈRE ELLE DIT NAN
TÉ EUH UN EUH ARABE !
NAN MOI MOI MOI EUH
CÉ LÉ ZARAB C'EST PAS EUH BATIZÉ
NAAAN
SIII CHUI BATIZÉ SIII MA MÈRE ELLE DIT
TU T'SOUVIENS PU
HNGN
Riad Sattouf

La vie secrète des jeunes
VU ET ENTENDU DANS LE TGV LORS DE LA DESCENTE À RENNES...
ARRÊTE DE FAIRE TOURNER ÇA PUTAiiiiN
MAIS LÂCHE-MOiiii
MAIS ARRÊTE J'TE DIS DE PAS
HO ANTOINE.
TU LA METS EN SOURDINE OUI ? C'EST PAS À TOI DE DONNER DES ORDRES À TA SOEUR T'ENTENDS ? ALORS MOLLO-MOLLO.
PARCE QUE AUTANT T'AIMES PAS QUE TA SOEUR JOUE AVEC SON SAC, AUTANT MOI J'AIME PAS QUE TU JOUES TOUTE LA JOURNÉE À LA PSP. TU VOIS ? ET JUSQU'À PRÉSENT JE TE LAISSE JOUER TRANQUILLE, MAIS MÉFIE-TOI ÇA POURRAIT CHANGER.
OUAIS BEN C'EST PAS EUH PASSKE TOI T'AIMES PAS UN TRUK QUE TOUT L'MONDE Y DOIT PAS AIMER T'VOIS.
OUI JE VOIS OUI.
QUEL CASSE-PIEDS.
TOI TOI TU KROIS KE TOUT L'MONDE Y PENSE KOMME TOI MAIS C'EST PAS PASSQUE T'AIMES PAS, EUH KE NOUS ON DOIT ÊTRE D'ACCORD
ÇA VA OUI J'AI COMPRIS.
ON EST PAS OBLIGÉ D'AIMER C'QUE T'AIMES PASS
VOUS POUVEZ AVANCER S'IL VOUS PLAÎT ?
HAHA LA HONTE !
Riad Sattouf

La vie secrète des jeunes
VU ET ENTENDU RUE SAINT-MICHEL, À RENNES.
ON S'CARESSAIT, IL ÉTAIT SUPER DOUX...
...ET IL M'EMBRASSE LÀ ET JE SENS SA LANGUE QUI COMMENCE À FURETER TU VOIS...
?
PUIS TOUT D'UN COUP, SORTI DE NULLE PART, IL ME DIT: "TU T'ES DÉJÀ FAIT ENCULER?"
COMMENT?
MAIS IL EST MALADE!!!
BEN OUI, ALORS JE LUI DIS: "PARDON?" ET IL ME REGARDE ET ME RÉPÈTE: "TU T'ES DÉJÀ FAIT ENCULER?"
COMME ÇA.
IL EST MALADE CE MEC.
ALORS JE LUI DIS: "ATTENDS, DÉJÀ JE TROUVE ÇA SUPER GROSSIER DE DIRE ENCULER, TU POURRAIS LE DIRE AUTREMENT, JE TROUVE PAS ÇA TRÈS DÉLICAT, ET ARCHI VULGAIRE..."
"... ET SI TU VEUX TOUT SAVOIR, JE L'AI DÉJÀ FAIT UNE FOIS ET J'AI DÉTESTÉ."
ET LUI TU SAIS CE QU'IL FAIT? IL M'EMBRASSE ET ME DIT "J'AIME PAS DIRE SODOMIE OU PÉNÉTRATION ANALE, J'AIME DIRE ENCULER."
RHOLÀLÀ.
ET IL DIT: "J'AI ENVIE DE T'ENCULER."
NON.
SI, ET IL COMMENCE À METTRE SES DOIGTS ET À FURETER QUAND MÊME.
HAAN!
ALORS LÀ, JE M'ÉNERVE, JE LE REPOUSSE, ET JE GUEULE: "JE T'AI DIT NON! ÇA FAIT SUPER MAL, JE TROUVE ÇA SALE, PAS HYGIÉNIQUE, ET EN PLUS POUR TOUT T'AVOUER: ÇA PUE."
BIEN DIT.
TU VOIS, QUITTE À ÊTRE VULGAIRE: SOYONS VULGAIRE.
Riad Sattouf

(*) "JE SUIS MORT" (ITALIEN)

Riad Sattouf

La vie secrète des jeunes
VU ET ENTENDU DANS LE MÉTRO À PARIS, LIGNE 9...
SALUT
SALUT...
TCH TCH
T'ÉTAIS PAS LÀ EN ESPAGNOL ?
NAN.
...
DODO ?
HÉHÉ OUAIS...
MA MÈRE J'FAIS ÇA, JUSTE ELLE ME TUE. T'Y DIS QUOI À LA TIENNE ?
BEN J'LUI DIS RIEN.
TU L'CONNAIS LE GARS LÀ-BAS ? IL EST EN C J'CROIS... IL ARRÊTE PAS D'ME DIRE BONJOUR...
IL S'RAMÈNE LÀ...
APRÈS IL ME COLLE SANS RIEN DIRE.
SALUT.
'LUT.
PASSE UN ÉCOUTEUR.
TROP FORT.
Riad Sattouf

La vie secrète des jeunes
VU ET ENTENDU RUE DE BUZENVAL À PARIS.
HEY! HEY M'SIEUR!
HEY ! HEY FAUT R'GARDER D'VANT VOUS HEY! HEY SINON VOUS ALLEZ TOMBER !
ON EST JEUNE HEIN ! ON EST TROP JEUNE FRANCHEMENT.
EN PLUS C'EST RAMADAN! C'EST PAS KORREKT.
NTTTT!
C'EST PAS KORREKT FRANCHEMENT.
Riad Sattouf

La vie secrète des jeunes
VU ET ENTENDU DANS LE BUS, LIGNE 57, À PARIS.
DIS DONC... JE T'AI DÉJÀ PARLÉ DE MA THÉORIE SUR L'HOMOSEXUALITÉ DANS LE TENNIS PROFESSIONNEL ?
MA THÉORIE : QUAND T'ES HOMOSEXUEL, TU PEUX PAS ÊTRE UN BON TENNISMAN. PARCE QUE DÉJÀ, À LA BASE TU PEUX PAS AVOIR ENVIE DE TUER CELUI QUI EST EN FACE DE TOI.
VU QUE TU L'AIMES.
PFFF...
MAIS SI ! À CE NIVEAU DE TENNIS, ÇA SE PASSE COMME ÇA : FAUT AVOIR ENVIE DE TUER L'AUTRE POUR LE BATTRE. TU COMPRENDS ? LE TUER COMME UN CHIEN. ALORS COMMENT VEUX-TU, SI T'AS ENVIE DE FAIRE L'AMOUR AVEC LUI ?
COMMENT VEUX-TU ?
REGARDE : QUAND J'AI LU DANS LIBÉ LÀ, L'HISTOIRE DE RICHARD GASQUET QUI A DÉMENTI ÊTRE AVEC ARNAUD LAGARDÈRE, JE ME SUIS DIT : "VOILÀÀÀ... VOILÀÀÀ... GASQUET IL JOUE BIEN, IL EST BIEN GENTIL, MAIS VOILÀÀÀÀ POURQUOI IL GAGNE PAS UN MATCH."
TT... TT... TT...
...SURTOUT QUAND SON ADVERSAIRE EST BIEN BRONZÉ ET BIEN HUILÉ !
HA NON MAIS ÉCOUTE LÀ
MAIS SIIII...
JE PEUX PAS TE LAISSER DIRE ÇA.
MAIS SIIII
MAIS RÉFLÉCHIS : AMÉLIE MAURESMO NOM DE DIEU ! A-MÉ-LIE MAU-RES-MO ! ELLE PERD TOUS SES MATCHS PARCE QU'ELLE REGARDE LA PETITE CULOTTE DE SES ADVERSAIRES AU LIEU D'AVOIR ENVIE DE LES TUER.
HA NON MAIS LÀ JE PEUX PAS.
C'EST VRAIMENT UNE ATTITUDE, UN ÉTAT D'ESPRIT QUE JE COMPRENDS PAS VENANT DE TOI. VRAIMENT.
NADAL : ÉNORME BAISEUR. FEDERER : QUEUTARD. AGASSI : IL A RÉUSSI À DÉPUCELER BROOKE SHIELDS. ILS GAGNAIENT OU ILS PERDAIENT ?
HOLÀLÀ MAIS ÇA VA PAS LÀ.
Riad Sattouf

La vie secrète des jeunes

VU ET ENTENDU DANS UN SUPERMARCHÉ À PARIS...

MAMANNN ?

MOUI CHÉRI ... ATTENDS... C'EST CELUI-LÀ ?..

C'EST ...

MAMAN TU PENSES À MOI COMBIEN ?

ATTENDS TU VAS M'FAIRE TOMBER

T'AIMES BIEN ÇA HEIN L'ANANAS ?

MAMAN !!!

MAIS J'PENSE À TOI TOUT LE TEMPS, TOUT LE TEMPS. JE PENSE QUE À TOI.

TU PENSES À RIEN D'AUTRE !?

TU PENSES À D'AUTRES C'EST OBLIGÉ !

FAIS PAS ÇA J'T'AI DIT

MAIS RELÈVE-TOI...

RELÈVE-TOIiiiiii !!

DEUX SECONDES

Riad Sattouf

La vie secrète des jeunes
VU ET ENTENDU LE SOIR DU 31 JANVIER 2008, À 20H45, À PARIS, MÉTRO LIGNE 7 bis...
ÂLO PUTIN ÂLO ÂLO ÂLO
ÂLO
ÂLO
OUAIS CÉ OIM ÂLO ÂLO J'DIS C'EST OIM PUTAIN
ÂLO
OUAIS J'ARIV' J'ARIV' J'ARIV'
HEIN ?
NA RANAFOUTRE RANAFOUTRE
ÂLO ÂLO
RANAFOUTRE RANAFOUTRE YA KI ? YA KI DÉJÀ ? YA DU SON ? J'ARIV'
ÂLO
J'DIS YA DU BON SON OU KOI ? ÂLO ?
MÉ RANAFOUTRE
ESKUZEZ-MOI, VOUS POUVEZ PACRIER SIVOUPLAÎT ?
VA NIQUER TA MÈRE TOI
MAIS NAN PAS À TOI
MAIS PATOI J'TE DIS CÉ UN FILS DEU PUTE DANS LE GONVA PUTAIN ÂLO
Riad Sattouf

Riad Sattouf

La vie secrète des jeunes
VU ET ENTENDU DANS LE MÉTRO, LIGNE 9, À PARIS...
PUTAIN IL EST CHAUD HAHA IL EST CHAUD LA VACHE.
ARRÊTE, MOI ÇA M'SAOULE.
CHAIS PAS COMMENT NOUREDINE IL ACCEPTE. COMMENT IL ACCEPTE, ÇA CHAIS PAS.
NAN
T'AS VU CE QU'IL LUI A DIT ? DÉBUT DE 2e MI-TEMPS ? L'ORDURE !
NOUREDINE - BON OK IL SE REPLACE JAMAIS, IL TIENT PAS SA POSITION - IL RATE LE BALLON À MOUSS, ET LÀ SEB IL LUI FAIT "PUTAIN MAIS REPLACE-TOI" ET NOUREDINE Y FAIT "OUBLIE-MOI"
NAN
T'AS PAS ENTENDU ?
LÀ SEB J'TE JURE J'AI CRU QU'IL ALLAIT LE FRAPPER IL LUI FAIT "FERME TA GUEULE SALE CONNARD."
NAN
SI ET NOUREDINE Y FAIT "PARDON ?"
PFF
ET SEB TU VOIS COMMENT IL FAIT IL LUI DIT "SALE ENCULÉ T'AS UNE POSITION À TENIR CONNARD."
IL EST VRAIMENT CHAUD.
ET LÀ SEB Y S'APPROCHE MAIS GENRE ON S'FIGHT TU VOIS.
ÇA VA FINIR COMME ÇA UN JOUR FRANCHEMENT.
PUTAIN ÇA CRAINT ATTENDS ON FAIT TOUS DU BASKET POUR S'DÉTENDRE TU VOIS SI LES GENS S'FIGHTENT MOI ÇA ME SAOULE MAIS D'UNE FORCE.
OUAIS ENFIN SEB Y S'EST EXCUSÉ...
TU PARLES IL VIENT LE VOIR DANS LE VESTIAIRE IL LUI FAIT "DÉSOLÉ J'LE PENSAIS PAS."
C'EST COOL FRANCHEMENT. IL S'CONTRÔLE PAS.
C'EST COOL ? PUTAIN MOI C'EST À CE MOMENT-LÀ QUE J'AURAIS ENVIE D'LUI EN FOUTRE UNE.
Riad Sattouf

L'enfer des marches

Cette année, notre film "LES BEAUX GOSSES" (il sort aujourd'hui, vous faites quoi ce soir?) a été sélectionné à Cannes par la quinzaine des réalisateurs. Une occasion unique de vivre de l'intérieur cet événement mondialement célèbre qu'est la montée des marches pour les projections de la sélection officielle.

Pour monter les marches, il suffit :
- d'avoir une place et un badge
- de porter un smoking noir pour les hommes et une robe pour les femmes. Vu dans la queue, devant les marches :
?
Steph tu peux v'nir steuplaît
Ne bougez pas monsieur
Bonsoir, voici ma place...
Désolé monsieur, mais votre smoking n'est pas noir, il est bleu foncé
je ne peux pas vous laisser entrer
Enfin c'est une plaisanterie? j'ai produit 2 palmes, je mets ce smoking tous les ans, laissez-moi passer
MONSIEUR : SMOKING NOIR
Écartez-vous ne restez pas là, partez
Pour les places, il y a un système de couleurs, qui s'accorde avec des badges (je n'ai rien compris), mais j'ai vu ça :
Excusez-moi, j'ai vu que vous aviez des places bleues, hors les miennes sont marron et si on se les échange, vous pourrez passer, car vous avez le badge, et moi je n'ai pas le badge
Mon vieux je ne comprends rien
S'il vous plaît je vous en supplie, je vous rends votre ticket dès qu'on passe le contrôle, ou prêtez-moi votre badge
S'il vous plaît monsieur
Pitié s'il vous plaît
vraies larmes
HAHAHA.
Être anonyme et monter les marches est une épreuve.
C'est qui la vieille ?
c'est qui ça ? tu reconnais ?
Ainsi, dès qu'une célébrité est annoncée en approche...
CASSE-TOI CONNASSE
s'il vous plaît, dégagez le tapis rouge merci, passez par les coursives
S'IL VOUS plaît, libérez l'accès.

plus loin, aux abords, des dizaines de personnes attendent toute la journée sur des escabeaux, en plein soleil.
HO PUTAIN! MIKE!
MIKE!
HEY!
LINDSAY! LINDSAY
Les incidents sont fréquents.
Putain descends de mon escabeau!
c'est bon j'dérange pas là!
DESCENDS D'MON ESCABEAU!
BRAD!
PUTAIN BRAD! PAR ici!
... les anonymes passent par en dessous...
CORBEILLE
... tandis qu'au-dessus...
LINDA!
CLAC
LINDA PUTAIN! LINDA!
CLAC
CLAC
MIKE! MIKE!
Partout, aux abords des marches, on croise des gens avec des pancartes (ils sont déjà habillés).
S'il vous plaît...
BONSOIR MERCI
BONSOIR
FREE KISS FOR AN INVITATION
JE PAIE 100 EUROS POUR UNE PLACE
Riad Sattouf

La vie secrète des jeunes

VU ET ENTENDU DANS LE MÉTRO À PARIS, LIGNE 9...

AiiiiiiHiiAAAA

TU TE ROULES PAR TERRE. TU ES SALE. REGARDE T'ES TOUT NOIR.

HiiiEUAHH

ET MOiiiiii

ÉMOiiiiii

ÉMOUAAA

Hiiiiiiiiii

HEU HEU HEU

ÉMOiiiii HiiiNN

TU ES RI-DI-CULE.

PARDON, FAUT PRENDRE LUI DANS LES BRAS.

HEUUHiiiii

NON, C'EST UNE COLÈRE, IL FAIT ÇA TOUT LE TEMPS.

CÂLIN, FAUT FAIRE CÂLIN, IL EST JALOUX DE LA SOEUR, CÂLIN ET APRÈS FINI.

JE SUIS DANS LA MÉDECINE.

OUI MAIS NON.

MERCI.

Hiiiiiiiii

TSSSS

ÉMOUAAA Hiiiiiii

REGARDE TON FRÈRE, REGARDE.

IL EST SALE.

Riad Sattouf

Riad Sattouf

Riad Sattouf

Riad Sattouf

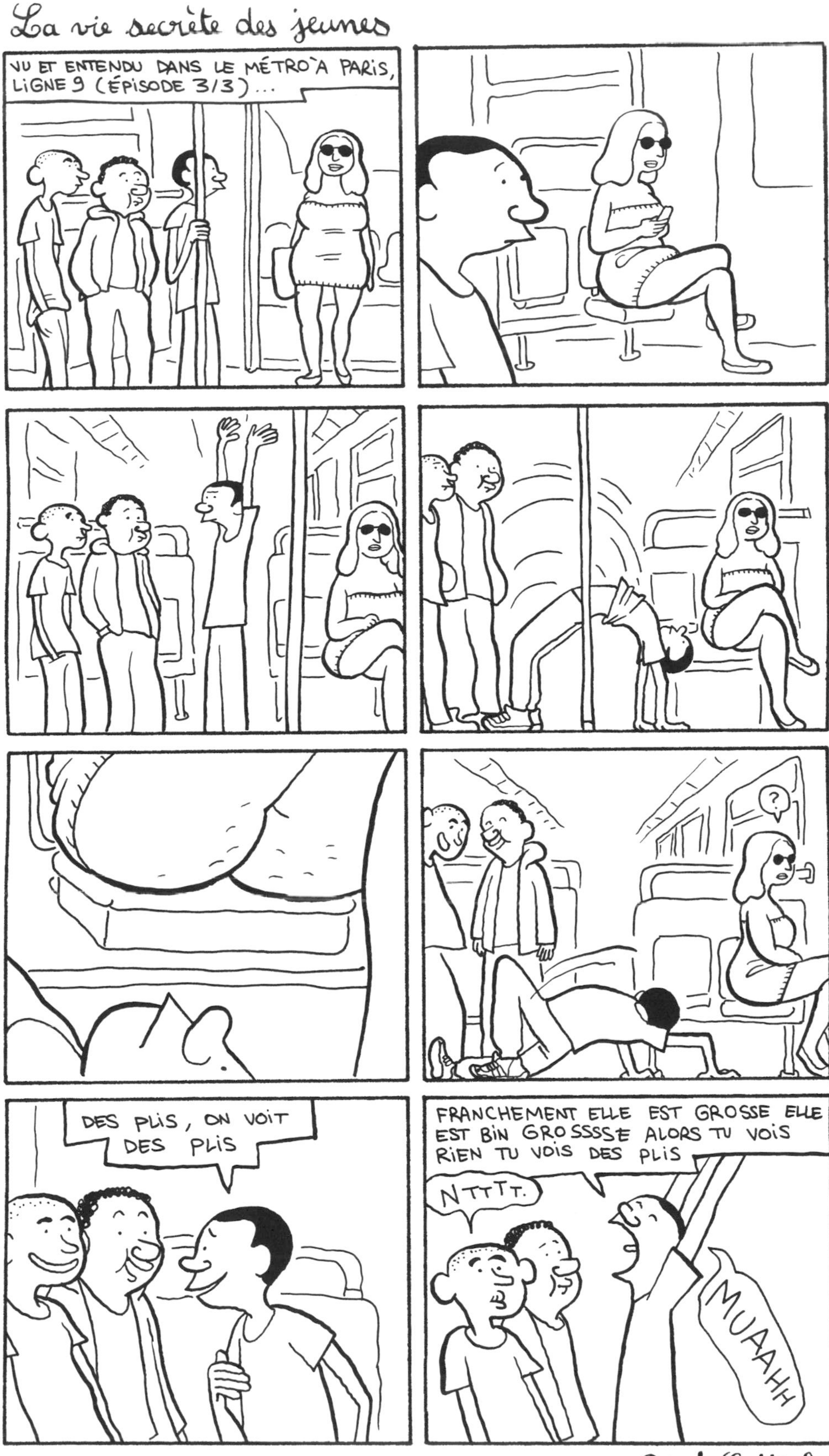
La vie secrète des jeunes
VU ET ENTENDU DANS LE MÉTRO À PARIS, LIGNE 9 (ÉPISODE 3/3)...
?
DES PLIS, ON VOIT DES PLIS
FRANCHEMENT ELLE EST GROSSE ELLE EST BIN GROSSSSE ALORS TU VOIS RIEN TU VOIS DES PLIS
NTTTT.
MUAAHH
Riad Sattouf

La vie secrète des jeunes

VU ET ENTENDU À PARIS, BOULEVARD DES ITALIENS...

HALÀLÀ CÉ TRO BON AMDULA

POURKOI TU DIS HAMDULLAH ?

POURKOI POURKOI PASSQUE CÉ TRO BON J'REMERCIE DIEU VALA J'REMERCIE DIEU VALA

TÉ UN CÉFRAN POURKOI TU DIS HAMDULLAH TU DIS MÊME PAS BIEN

VAZI LAISSE-LE

C'EST UN MUSLIM Y BRIZZ LE JEÛNE Y BRIZZ LE JEÛNE KOM NOUS

FRANCHEMENT CÉ BIZARRE KAN Y DIT HAMDULLAH CÉ TOUT

Y DIT "AMDULA"

Riad Sattouf

La vie secrète des jeunes
VU ET ENTENDU À MONTRÉAL, DEVANT ET DANS UN MAGASIN DE VÊTEMENTS D'OCCASION...
HEY
HEY T'AURAIS-TU PÔ UN SOU ?
NAN J'AI RIN T'SÉ
NAPALM DEATH
GLPPP
VIENS-TU VOUÈRE SI Y A D'NEUF
ALORS ? T'TROUVES-TU ?
"LORDS OF CHAOS" ENCORE...
PFFF
LORDS OF CHAOS
TIENS... WU TANG ?
BEUAARK
WU TANG CLAN
M'PÔRLE PÔ D'ÇÔLÔ, C'EST DU HIP-HOP, LÀ J'VOMIS T'SÉ
Y ZONT VRÉMIN RIN
Riad Sattouf

La vie secrète des jeunes
VU ET ENTENDU DANS UN BAR, À PARIS, PRÈS DES HALLES...
ALORS ?
OKAY C'EST UNE BOMBE.
ET ATTENDS, REGARDE LES AUTRES.
OUAIS, SYMPA MAIS MOCHE.
LUI IL EST MOCHE.
SUIVANT.
ATTENDS.
C'EST PAS LUI.
REGARDE, C'EST LES TROIS QUE J'AI VU.
- HAN, ULTRA-BEAU.
- BEAU.
- SUPER BEAU.
ET LÀ JE REVOIS "ULTRA-BEAU" DEMAIN.
MAIS QUELLE SALOPE !
HI HI HI HI
J'L'AI VU UNE FOIS, C'ÉTAIT SUPER, ON A RIGOLÉ... MAIS JE SUIS PAS SÛRE QU'IL VEUILLE S'ENGAGER DANS UN TRUC...
EN MÊME TEMPS, IL EST TELLEMENT BEAU, T'EN AS RIEN À FOUTRE, NON ?
... J'CROIS QU'C'EST CLAIR.
LE CUL POUR LE CUL C'EST BIEN DES FOIS.
OUI, MAIS SEULEMENT AVEC LES ULTRA-BEAUX.
BIN LÀ C'EST L'CAS UN PEU... FAIS VOIR L'AUTRE PHOTO... IL EST DIJI ?!?
NAN... IL PASSE DES DISQUES DANS DES SOIRÉES QUE SES POTES ORGANISENT... C'EST JUSTE UN DÉLIRE...
JE DEVRAIS M'INSCRIRE MOI AUSSI PUTAIN, T'AS LA BELLE VIE !
WHAAA... TU M'ÉTONNES.
Riad Sattouf

La vie secrète des jeunes
VU ET ENTENDU À PARIS, DANS LE MÉTRO, LIGNE 9...
C'EST NOUUUS LES BÉBY SITEUUUURS
YEAH !!!
CLAP!
CLAP!
ÇA Y EST, TU SAIS LE MÉDECIN DONT J'T'AI PARLÉ ? IL A ACHETÉ UN APPART JUSTE POUR PAS VOIR SON EX-FEMME.
C'EST NOUUUUS LES
HEIN?
BEN IL FINIT TARD, ET VEUT PAS QUE SON EX VOIT OÙ IL HABITE. ALORS IL A ACHETÉ UN APPART, SA FEMME POSE LEUR GOSSE, MOI J'LE RÉCEPTIONNE ET JE L'GARDE LÀ JUSQU'À CE QU'IL VIENNE LE CHERCHER...
HAAANN CHELOUUU!
OUAIS ENFIN IL M'A DIT QUE C'ÉTAIT POUR ÇA, MAIS BON C'EST UN PETIT APPART AVEC UN LIT KING SIZE, À MON AVIS, IL S'EN SERT AUSSI POUR AUTRE CHOSE...
PFRHIHIHI IL T'A PAS PROPOSÉ DE VENIR LE BÉBYSITTER LUI ?
HO NAN LES MECS MARIÉS, C'EST HORRIBLE, C'EST GLAUQUE... OU ALORS FAUT QU'IL SOIT UUUU ULTRA-BEAU, LÀ OK. MAIS BON, LÀ C'EST PAS LE CAS.
BUHAHAHARH
EN PLUS, IL ME MATE À MORT À CHAQUE FOIS, J'AI ENVIE DE LUI DIRE : "HEY C'EST MOI OU TON FILS QUE T'ES CONTENT D'VOIR ?"
ET GENRE IL EST GYNÉCO, IL M'A DÉJÀ PROPOSÉ DE VENIR LE VOIR, "SUPER, J'VIENS T'MONTRER MON MACHIN, SALUT?"
IL TE FERAIT PEUT-ÊTRE UN PRIX ?
OUAIS BEN MÊME SI C'EST GRATUIT, J'PRÉFÈRE PAYER CHEZ UN AUTRE, J'AI LA CARTE VITALE.
OUAIS AUCUN INTÉRÊT.
Riad Sattouf

La vie secrète des jeunes
VU ET ENTENDU À PARIS DANS UN BAR, BOULEVARD MONTMARTRE...
HEP! HEP!
MADEMOISELLE ?
HOPLÀ!
MONSIEUR ! J'AI D'AUTRES HOMMES DANS MA VIE QUE VOUS.
HA J'VOUS AI CRUE ! UN INSTANT, LE PIRE EST ARRIVÉ : JE VOUS AI CRUE.
SMICK
Riad Sattouf

La vie secrète des jeunes
VU ET ENTENDU DANS LE 20e ARRONDISSEMENT, À PARIS...
NAN NAN
KOI ? KOI ?
T'ES SÉRIEUX ?
KHH
NAN PUTAIN
AHiii AHiiii AHiiii
MAIS PUTAiiiiN MAiS COMMENT TU PEUX M'FAIRE ÇA COMMENT
MAMAN
AHiii AHiiiiii
KH KH
DÉJÀ QU'J'AI UNE VIE D'MERDE
T'AS TON
AHiiii AHiiii
ALLEZ VIENS TOI... KHHHHH
Riad Sattouf

La vie secrète des jeunes
VU ET ENTENDU À PARIS DANS UN FAST-FOOD, PLACE DE LA NATION...
WAAAAHHHH
WIIIIIIIIII
HÉ HO !
HIIIIN
LA FESSÉE C'EST PAS ENCORE INTERDIT HEIN
MERCI OUI
ENLÈVE TES MAINS DE TES OREILLES FAUT QU'TU PROFITES AUSSI DU BOUCAN QU'TU FAIS
WAAAAAH
HIIIIIIIIII
HNPH HNPH HIIIIN
TU ARRÊTES !
CLAC
CLAC
TU ARRÊTES !
NAAN
HIIII
VOILÀ ! VOILÀ !
Riad Sattouf

La vie secrète des jeunes
VU ET ENTENDU À PARIS, DANS LE MÉTRO, LIGNE 9...
OUUUH! REGARDEZ-LE!!! OUHHH!!! MON FILS EST SALE OUHHH!
IL EST SAAAALE MON FILS!!! IL A DES MICROBES PLEIN LA BOUCHE!
BEUAARK!
HN!
PAF
VOILÀ, T'AS GAGNÉ: PAS DE DORA POUR TOI CE SOIR.
NAAAAN... J'VEUX DORA! J'VEUX R'GARDER DORA CE SOIR...
T'AS ÉTÉ MÉCHANT TOUTE LA JOURNÉE. T'AS CRACHÉ SUR MAMIE, T'AS MORDU TA COUSINE, T'AS LÉCHÉ LA BARRE, T'AS TAPÉ MAMAN... DONC, JE TE METS PAS DORA CE SOIR.
HI HI HI!
BIEN FAIT POUR TOI.
DORAAAAAAA!!!
PAF
HN
HN
HN
TAPE! TU M'FAIS PAS MAL! TAPE! MAIS DIS ADIEU À DORA!
DORAAAAA HIIIIII
PIF
HN
HN
Riad Sattouf

La vie secrète des jeunes
VU ET ENTENDU À PARIS, RUE D'AVRON ...
VRRRRR
PAF
HÉLA BONHOMME DOUCEMENT TU VAS BLESSER KELKUN LÀ
KCHHRRR
KESKYA ?
VA MOINS VITE TU M'ES RENTRÉ DEDANS
KESKYA ?
D'OÙ TU M'PARLES TOI ? D'OÙ TU M'PARLES ???
DOUCEMENT BONHOMME, ILS SONT OÙ TES PARENTS ?
MAIS VA T'FAIRE ENCULER FILS DE PUTE J'T'EMMERDE TA RACE T'AS KOMPRI OU KOI ?!?
?
VRRRRR
Riad Sattouf

La vie secrète des jeunes
VU ET ENTENDU DANS LE MÉTRO, LIGNE 9, À PARIS...
OH MA BELLE OH MA BELLE TU SENS LA MIRABELLE ... OH MA BELLE...
OH MA BELLE TU N'ES PAS SI BELLE TU AS UN CUL DE TRACTOPELLE...
UN DEUX TROIS NOUS
HA MAIS NON
TU CROIS QUE
AAH!
CALME-TOI
CALME-TOI
CALME-TOI
CALME-TOI
Riad Sattouf

La vie secrète des jeunes
VU ET ENTENDU À PARIS, BOULEVARD SAINT-GERMAIN, DANS UN CAFÉ...
ATTENDS ÉCOUTE CELLE-LÀ. ON FAIT L'VERNISSAGE...
...ET Y A UN TYPE QUI ARRIVE, ET QUI VEUT ACHETER UN DE SES TRUCS, UN MACHIN AVEC DES ARROSOIRS COLLÉS. IL S'AVANCE ET LUI DIT : "J'VOUS LE PRENDS POUR 60 000 EUROS".
PAS MAL.
TU SAIS CE QUE CE PUTAIN "D'ARTISTE" DE MON CUL IL LUI RÉPOND ? "DÉSOLÉ JE VENDS RIEN À MOINS DE 100 000."
TU T'RENDS COMPTE ? J'LUI METS À DISPOSITION MA GALERIE POUR QU'IL EXPOSE SES MERDES, ET IL JOUE PAS LE JEU. IL JOUE PAS L'JEU.
NTT
ON EST PAS LÀ POUR FAIRE BEAU ?!? ALORS VENDS-LUI TES PUTAINS D'ARROSOIRS À 60 000 ET NOUS FAIS PAS CHIER !!! PUTAIN ! MAIS PUTAIN ! JOUE LE JEU !!!
JOUE LE JEU !
JOUE LE JEU !
PUTAIN MAIS JE L'AURAIS FRAPPÉ AVEC SES ARROSOIRS... FILS DEUU PUUUTE...
MWAAAAAAHH
CREVÉ ?
TAIN... CE MATIN PAPA M'A RÉVEILLÉ AVEC UN SEAU D'EAU. J'TE JURE, CHUIS SÉRIEUX, IL EST RENTRÉ DANS MA CHAMBRE ET IL ME L'A VERSÉ SUR LA GUEULE POUR M'RÉVEILLER.
♪, PAS COOL.
C'EST UN OUF.
Riad Sattouf

La vie secrète des jeunes
VU ET ENTENDU DANS UN MAGASIN DE VÊTEMENTS À LONDRES...
Hiii !
WAH
HH! HH! HH!
T'ES VRAIMENT CON
OLALAAA!
KESS T'EN PENSES ?
SNFF
J'AIME LA MATIÈRE
OUAIS IL EST BEAU, JE VAIS CRAQUER MA TIRELIRE...
HMMM
NAN MAIS VOUS FAITES PAS CHIER PUTAIN
KESTATOI...
SLURP
T'EN VEUX AUSSI ?
OUI Z'EN VEUX HI HI
C'EST UN PÉLERINAGE, LONDRES AVEC VOUS LES GARÇONS...
Riad Sattouf

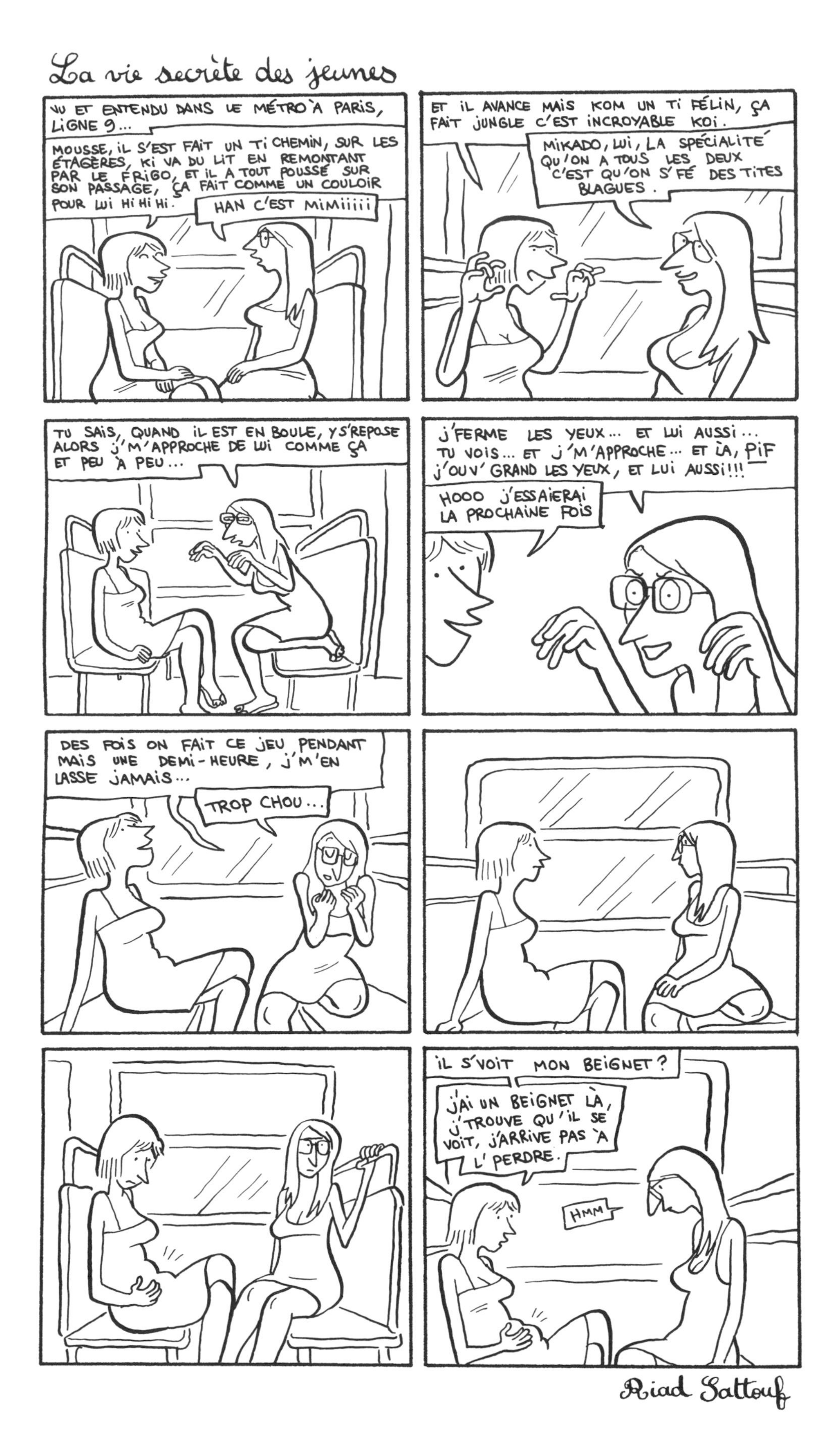
La vie secrète des jeunes
VU ET ENTENDU DANS LE MÉTRO À PARIS, LIGNE 9...
MOUSSE, IL S'EST FAIT UN TI CHEMIN, SUR LES ÉTAGÈRES, KI VA DU LIT EN REMONTANT PAR LE FRIGO, ET IL A TOUT POUSSÉ SUR SON PASSAGE, ÇA FAIT COMME UN COULOIR POUR LUI HI HI HI.
HAN C'EST MIMIIIII
ET IL AVANCE MAIS KOM UN TI FÉLIN, ÇA FAIT JUNGLE C'EST INCROYABLE KOI.
MIKADO, LUI, LA SPÉCIALITÉ QU'ON A TOUS LES DEUX C'EST QU'ON S'FÉ DES TITES BLAGUES.
TU SAIS, QUAND IL EST EN BOULE, Y S'REPOSE ALORS J'M'APPROCHE DE LUI COMME ÇA ET PEU À PEU...
J'FERME LES YEUX... ET LUI AUSSI... TU VOIS... ET J'M'APPROCHE... ET LÀ, PIF J'OUV' GRAND LES YEUX, ET LUI AUSSI!!!
HOOO J'ESSAIERAI LA PROCHAINE FOIS
DES FOIS ON FAIT CE JEU PENDANT MAIS UNE DEMI-HEURE, J'M'EN LASSE JAMAIS...
TROP CHOU...
IL S'VOIT MON BEIGNET ?
J'AI UN BEIGNET LÀ, J'TROUVE QU'IL SE VOIT, J'ARRIVE PAS À L'PERDRE.
HMM
Riad Sattouf

La vie secrète des jeunes
VU ET ENTENDU DANS UNE PHARMACIE, DANS LE 10E ARRONDISSEMENT DE PARIS...
KHEU KHEU
'JOUR
MONSIEUR
EUH VOUS AVEZ DES MASQUES POUR PROTÉGER D'LA GRIPPE A ?
KHEU
OUI ON EN A, MAIS MONSIEUR, FAUT PRÉVENIR AVANT, SI VOUS ÊTES MALADE, ET FAUT METTRE VOTRE MAIN D'VANT LA BOUCHE...
Y A DES ENFANTS ET DES SENIORS À LA PHARMACIE
UN PEU DE RESPONSABILITÉ, SINON ON VA PAS S'EN SORTIR.
TENEZ.
MADAME, ÉCARTEZ-VOUS, MONSIEUR A LA GRIPPE A.
HEY FAUT S'CALMER, C'EST PAS POUR MOI, C'EST POUR UNE FEMME ENCEINTE QUI VIENT D'SE FAIRE VACCINER...
TING TING
POURQUOI ELLE A B'SOIN D'UN MASQUE ALORS ?
BIN DEPUIS QU'ELLE EST VACCINÉE, C'EST COMME SI ELLE AVAIT LA GRIPPE.
ENFIN...
AU R'VOIR.
HMM.
Riad Sattouf

La vie secrète des jeunes
VU ET ENTENDU À PARIS, DANS LE 18e ARRONDISSEMENT.
HEP-HEP ZAURIEZ PAS UNE P'TITE PIPE OU DEUX?
HEP-HEP
HIN HIN HIN HIN
HMPHHH
BONJOUR MADEMOISELLE UNE P'TITE PIPE PEUT-ÊTRE ?
HABA! HABA C'EST LA CRISE ! HABA KESSVOUVOULEZ !
BILIBILI BILIBILI BILIBILI
FLIP FLAP
HÉ BEN ALORS MAMIE C'EST LA CRISE BILIBILIBILI !
FLIP FLAP
ALLEZ ! ALLEZ ! PASSEZ, PASSEZ NOM DE DIEU PASSEZ ! ALLEZ !
HA BON DIEU
Riad Sattouf

La vie secrète des jeunes

Riad Sattouf

Riad Sattouf

La vie secrète des jeunes
VU ET ENTENDU À PARIS, DANS UNE ÉPICERIE CHINOISE...
BONJOUR MOSSIEUR OUI
HEY
SNFF
T'AS DES BONBONS OU KOI ?
DÉ BONBONS
BONBONS OUI, LÀ, BONBON MOSSIEUR
T'AIMES ÇA KOM BONBONS BÉBÉ ?
GNKGNH
NAN C'EST DÉGUEU COMME BONBONS Y A KE ÇA OU KOI ?
BONBONS C'EST ÇA OUI, LÀ, OUI
PUTAIIIN
VIENS BÉBÉ ON S'KASSE ON VA VOIR AILLEURS C'EST DÉGUEU ICI
Riad Sattouf

La vie secrète des jeunes

VU ET ENTENDU DANS UNE ÉPICERIE À PARIS, DANS LE 20e ARRONDISSEMENT...

MOSSIEÉÉ MADAAAME LES GOMBOS OUI ET RIZ CASSÉ UNE FOIS OUI

13 EUROS OUI

AAA

OUH ATTATION C'EST LOU' HIN

MOSSIÉ ! VOUS ALLEZ PAS LAISSER MADAME PO'TER, C'EST LOU' HINHIN

KOI ?

J'DIS C'EST LOU' POU' MADAME VOUS ÊTES FO' VOUS HINHIN

NAN-NAN J'PORTE PAS MOI...

HA OUIII C'EST LA FEMME QUI FAIT TOUT CHEZ VOUS, COMME CHEZ NOUS HINHIN

OUAIS VOILÀ

LA FEMME, SNFFF, ELLE S'OKUPE, DÉ ZENFANTS ET LA NOURRITURE, LE MÉNACHE ET VOILÀ

HIN OUI MAIS FAUT AIDER NON DES FOIS HINHIN

NAN LA FEMME ELLE FAIT... KI C'EST KI VA À LA GUERRE ? C'EST NOUS OU LES FEMMES KI VA À LA GUERRE ? C'EST KI ?

LÉ ZHOMMES CÉ DÉ GUERRIERS VOILÀ CÉ DÉ GUERRIERS J'PORTE PAS MOI

D'ACCOOO' MOSSIÉ HIN BONNE JOU'NÉE MADAME ! OUI

AAA

QUELQUES SECONDES PLUS TARD, DANS LA RUE...

Riad Sattouf

La vie secrète des jeunes
VU ET ENTENDU DANS UN SUPERMARCHÉ, À PARIS...
T'AS VU LE FILM SUR LA 5 HIER SOIR ?
NAN C'ÉTAIT BIEN ?
HO SUPER. L'HISTOIRE, C'ÉTAIT UNE FEMME QUI TRAVAILLE DANS UNE BANQUE TU VOIS, ET, ET, À CAUSE DE SON MÉTIER, ELLE DÉTOURNE PLEIN DE FRIC DANS LE DOS DE SON PATRON, DES SOMMES ÉNORMES, TU VOIS.
GENRE ? COMBIEN ?
400 000 EUROS TU VOIS... ET APRÈS, ELLE VIT BIEN, ELLE PROFITE DU FRIC...
OKAAAY... PFFF LE RÊVE.
OUAIS, MAIS, APRÈS, SON PATRON, BEN IL S'EN REND COMPTE, ELLE SE FAIT PRENDRE LA MAIN DANS LE SAC.
ET MERDE.
SON PATRON, IL EST MARIÉ, MAIS IL A UNE MAÎTRESSE. CELLE QUI DÉTOURNE, ELLE EST AU COURANT DE ÇA. ALORS, ELLE LE FAIT CHANTER...
HAHAHA !
ÇA FINIT COMMENT ?
BEN GRÂCE À ÇA, LE PATRON D'LA BANQUE, IL LA LAISSE TRANQUILLE.
ET ELLE PART AVEC LE POGNON ?
HÉ OUAIS !
WOW.
TU VOIS, ÇA MONTRE BIEN, ÇA MONTRE BIEN QUE VOUS LES FEMMES, VOUS AVEZ UN POUVOIR SUR LES HOMMES.
PAS TOUTES. LES VÉNALES.
LES VÉNALES : OUI. MAIS MOI CHUI PAS COMME ÇA.
HOOO TU DIS ÇA...
NAN NAN, JURÉ.
HOUUU
Riad Sattouf

La vie secrète des jeunes

Riad Sattouf

La vie secrète des jeunes
VU ET ENTENDU À PARIS, DANS UN CAFÉ RUE D'AVRON...
ALLÔ CHÉRIE OUI MON BÉBÉ.
ALORS COMMENT ÇA S'EST PASSÉ ? RACONTE À MAMAN.
RNFFFLLL
MH
MH
MH
MH
HOLÀLÀ...
HM.
NON... NON... C'EST PAS GRAVE... C'EST PAS GRAVE... FAUT PAS SURINVESTIR, C'EST QU'UN CONTRÔLE... MAIS NON NE T'EN FAIS PAS... MAIS NON MA CHÉRIE... OUI... OUI... BON ON SE VOIT CE SOIR, JE SUIS AU CAFÉ AVEC DANIEL... OUI BISOUS JE T'EMBRASSE FORT BISOUS-BISOUS.
SNRFL
MERDE !
BILAN ?
"MAMAN J'AI RATÉ LE CONTRÔLE, J'AURAI PAS PLUS DE 5 NORMALEMENT". ET VOILÀ. ON EST DEDANS. ON EST DEDANS. NON MAIS QUAND ELLE PREND SA PETITE VOIX DÉSOLÉE, JE SAIS PAS CE QUE J'LUI FERAIS.
KH
KH
IMAGINE, LÀ C'EST LA 6e, 7 ANS JUSQU'AU BAC, 7 ANS À ENTENDRE SA PETITE VOIX INSUPPORTABLE ME RÉPÉTER QUE "NORMALEMENT" ELLE EST NULLE. C'EST LE "NORMALEMENT" QUI ME REND FOLLE, TU COMPRENDS POURQUOI ? TU COMPRENDS ?
DES FOIS QUAND J'Y RÉFLÉCHIS, TU SAIS, J'AI EU UNE SORTE D'ANGINE QUAND J'ÉTAIS ENCEINTE. J'AI PRIS DES ANTIBIOS, J'ME D'MANDE SI ÇA A PAS NUI AU FOETUS.
RAFFL
Riad Sattouf

La vie secrète des jeunes

Riad Sattouf

La vie secrète des jeunes
VU ET ENTENDU À PARIS, À LA MAISON EUROPÉENNE DE LA PHOTOGRAPHIE...
ALORS LÀ, BELLE PHOTO, MAIS TRISTE HEIN...
POURQUOI ?
BAH ENFIN? TU VOIS PAS QU'IL A PAS D'JAMBES?
HA OUAiiis C'EST CHAUUUD
MAMiiiiN POURKOi iL A PU D'JAMBES?
ALORS LÀ, TU M'EN D'MANDES TROP
MAMiiiiN GNAGNA
AH OUAiS VOiLÀ, C'EST LA TCHÉTCHÉNIE, IL A PU D'JAMBES PASSQUE C'EST LA TCHÉTCHÉNIE
MAMAN JONATHAN iL REFAIT AVEC SON DOIGT !!!
MAIS ÇA VA PAS? ESPÈCE D'OBSCÈNE!
J'AI RIEN FAIT!
JE VOIS PAS POURQUOI TU SORS AVEC NOUS SI C'EST POUR ÊTRE DÉSAGRÉABLE!
HEY MAIS J'AI RIEN FAIT SÉRIEUX
IL A FAIT ÇA EN ME REGARDANT MAMAN
J'VAIS T'COUPER LES BRAS TOI, ÇA SERA TA TCHÉTCHÉNIE
HEY MAIS T'ES OUF
V'NEZ VOIR LES AUTRES PHOTOS
Riad Sattouf

La vie secrète des jeunes
VU ET ENTENDU À PARIS, DANS LE MÉTRO, LIGNE 9...
HEY MAIS FAUT K'IL ARRÊTE SÉRIEUX LAISSE TOMBER LE GARS GENRE C'EST UN MONSIEUR, À LA PREMIÈRE OCCAZE IL TE POUKAVE
T'SÉ C'KI M'FÉ EN MATH? Y FÉ GENRE IL KONNÉ LES DEALERS DEU CLICHY OU LES KEUMS KI KEBRA LES SHOPI LÀ L'PAUVRE GAAAARS...
EN FAIT TU VAS CHEZ LUI, Y LIT DOFUS L'PAUVRE PÉDÉ IL A L'INTÉGRALE DE DOFUS SOUS SON LIT HNF HNF HNF
"TU KONNÉ DES DEALERS FILS DE PUTE?" "TU KONNÉ DÉ BRAKEURS? HEIN? DÉJÀ, UN, ARRÊTE TA DS, DEUX, VA NIQUER TA MÈRE ET TROIS, FERME TA GUEULE"
CÉ KOI TU TÉMA CÉ KOI
!
BAISSE LÉ ZIEUX SALOPE
ARRÊTE HEY
HEY GROS IL A LES YEUX DANS L'VIDE GROS IL T'MATE PAS GROS
J'N'É RANAFOUT' MOI
Y BAISSE LÉ ZIEUX ET VALA
CÉ TOUT
Riad Sattouf

La vie secrète des jeunes
VU ET ENTENDU À PARIS, RUE DE BRETAGNE...
ALLEZ DONNE-MOI UN SAC !
MAIS NAN T'OCCUPES.
OUUUH ! PAAAARFAIT !
TU POURRAIS AU MOINS FERMER TON MANTEAU !
MAMAAAN !
ARRÊÊÊTE PITIÉÉÉ ARRÊÊÊTE ARRÊÊÊTE ARRÊÊÊTE JE T'EN SUPPLIE ARRÊÊÊTE !!!
OH MAIS J'ARRÊTE. OH MAIS OUI.
SI TU TROUVES QU'IL FAIT CHAUD, C'EST QU'T'AS BIEN D'LA CHANCE !
Riad Sattouf

La vie secrète des jeunes

VU ET ENTENDU À ANGOULÊME, AU FESTIVAL INTERNATIONAL DE LA BANDE DESSINÉE, DEVANT LE MUSÉE DE L'IMAGE...

VOUS ENTREZ ET VOUS M'ATTENDEZ

M'SIEUR HEY Y A MOYEN D'ALLER VOIR LES PÊCHEURS?

OÙ EST-CE QUE TU VOIS DES PÊCHEURS TOI ALLEZ RENTRE À L'INTÉRIEUR COMME TOUT LE MONDE

ALLEZ

LÀ, Y A DES PÊCHEURS À LA RIVIÈRE EN BAS, Y A DÉ PÉCHEURS LÀ, J'VOUS JURE HEY M'SIEUR Y PÊCHENT

BRAD ON EST PAS À UN CONCOURS DE PÊCHE, ON VISITE LE MUSÉE DE LA BÉDÉ

ALORS MAINTENANT TU RENTRES

PUTAIN MAIS NIQUE SA MÈRE LA BÉDÉ

JANÉ **RANAFOUTRE** D'LA BÉDÉ SÉRIEUX

NIQUE SA MÈÈÈÈRE LA BÉDÉÉÉ!

LA BÉDÉ J'LA PRENDS J'LA RETOURNE J'LA NIQUE

T'ENTENDS OU KOI

BRAD VIENT

Riad Sattouf

La vie secrète des jeunes
VU ET ENTENDU À PARIS, DANS LE MÉTRO LIGNE 9...
KRUK
HEY C'EST PAS PASSÉ LOUIN HEY
HA HAR
Riad Sattouf

La vie secrète des jeunes
VU ET ENTENDU À PARIS, DANS UN RESTAURANT...
JE SORS QU'AVEC DES MUSULMANS. C'EST CLAIR, C'EST NET, PRÉCIS.
ET MÊME QUAND TU SORS AVEC DES MUSULMANS, APRÈS TU GALÈRES : TU TE RENDS COMPTE QUE EUUH EN FAIT IL FAIT PAS RAMADAN EUUH, QU'EN FAIT IL EST MUSULMAN MAIS QU'IL MANGE DU PORC EUUUH TOUT ÇA QUOI ?
ET LÀ MOI J'DIS, MAIS EN QUOI T'ES MUSULMAN BONHOMME ? TU VEUX M'EMBRASSER, APRÈS AVOIR MANGÉ DU SAUCISSON ? TSSSSS MAIS RENTRE CHEZ TOI SÉRIEUX...
MUSULMAN, C'EST LA RIGUEUR, SUIVRE LES PRÉCEPTES, ALLER VERS LA PURETÉ, C'EST UN EFFORT DE VIE TU VOIS. C'EST PAS METTRE SA MAIN SUR SON COEUR ET AVEC L'AUTRE, MANGER DES SAUCISSES, WALLAH... TU COMPRENDS C'QUE J'VEUX DIRE ?
BIEN SÛR.
MAIS J'VEUX PAS DES EXTRÉMISTES, J'VEUX DES TRADITIONNALISTES. VOILÀ. J'VEUX UN GARS QUI SUIT L'ISLAM, ET QUI S'HABILLE EN ARMANI.
ÇA SE TROUVE.
DÈS QUE J'ME MARIE, J'ACHÈTE UNE VILLA EN TUNISIE. FRANCHEMENT : C'EST PAS CHER, T'AS DES BEAUX COINS, DES BONS RESTOS... LES GENS SE TIENNENT À CARREAU GRÂCE AU RÉGIME FORT... C'PAS MOU COMME ICI TU VOIS, OÙ LES GENS SONT JAMAIS D'ACCORD... OÙ TOUT L'MONDE A SON AVIS...
SÉRIEUX QUAND TU VAS LÀ-BAS, TU VOIS QUE LA DÉMOCRATIE C'EST UN PEU À CHIER DANS LE FOND. ÇA MARCHE TRÈS BIEN SANS, LÀ-BAS. LES GENS S'EN FOUTENT DE POURQUOI CECI, OU CELA... IL SUFFIT QUE CELUI QUI COMMANDE SOIT PAS TROP FOU, ET ÇA MARCHE TOUT SEUL.
OUAIS ÇA C'EST CLAIR
C'EST CLAIR HEIN ? LA DÉMOCRATIE, C'EST PAS SI FORMIDABLE, VOIR MÊME, C'EST INSUPPORTABLE.
JE SUIS D'ACCORD.
Riad Sattouf

La vie secrète des jeunes
VU ET ENTENDU À RENNES, PLACE DE LA GARE, DANS UN CAFÉ...
QUELQUES MOIS AVANT CE QUE NOTRE "CHER" PDG A APPELÉ LA "MODE DES SUICIDES", ON A EU UNE NOUVELLE N+3...
LE PREMIER JOUR, ELLE ENVOIE UN MAIL ULTRA AGRESSIF À TOUTE L'ÉQUIPE POUR DIRE QUE NOS RÉSULTATS ÉTAIENT INSUFFISANTS. ELLE S'ÉTAIT PAS PRÉSENTÉE, PERSONNE L'AVAIT JAMAIS RENCONTRÉE AVANT.
ET EN FAIT, ELLE AVAIT MAL LU LES CHIFFRES : ON ÉTAIT LES MEILLEURS.
SALE CONNE.
ALORS, PLUTÔT QUE DE DIRE "PARDON, J'AI MAL LU LES CHIFFRES", ELLE RENVOIT UN MAIL EN DISANT QU'ON DOIT PAS "S'ENDORMIR SUR NOS LAURIERS".
CHALOPE
SCHLRP
TU T'RAPPELLES DE MIMI ? TU SAIS CE QU'ELLE LUI A FAIT ? ELLE L'A FAIT METTRE DANS UN BUREAU À L'AUTRE BOUT DU CENTRE. IL AVAIT RIEN À FAIRE. IL AVAIT INTERNET POUR CHERCHER UN BOULOT AILLEURS.
ILS ATTENDAIENT QU'IL CRAQUE ET QU'IL DÉMISSIONNE.
IL VENAIT TOUS LES JOURS SINON IL ÉTAIT VIRÉ POUR ABSENTÉISME. IL VENAIT. IL FAISAIT RIEN. IL ALLAIT SUR YOUTUBE. ON POUVAIT PAS LUI PARLER, IL ÉTAIT À L'AUTRE BOUT DU CENTRE. IL A TENU 6 MOIS.
L'ENFEEEER
MAINTENANT, IL EST DANS UNE INSTITUTION, IL EST EN DÉPRESSION LOURDE. QUAND Y A EU LA VAGUE DES SUICIDES, LES MÉDIAS EN ONT VACHEMENT PARLÉ. ALORS ILS ONT PRIS DES MESURES. ILS ONT ORGANISÉ DES "P'TITS DÉJ ÉQUIPE" POUR "REMETTRE DE L'HUMAIN".
ON ÉTAIT OBLIGÉ D'Y ALLER. TU TE RETROUVAIS AVEC TON ÉQUIPE ET LES CHEFS, Y AVAIT LA N+3, C'ÉTAIT LA PREMIÈRE FOIS QU'ON LA VOYAIT. UNE SORTE DE GRANDE BLONDE ULTRA BRONZÉE, AVEC UN VISAGE MONSTRUEUX ET DES YEUX MORTS.
MIMI, IL SE RETROUVE ASSIS À CÔTÉ D'ELLE. ELLE SE TOURNE VERS LUI AVEC UNE EXPRESSION IGNOBLE ET LUI DIT :
"THÉ OU CAFÉ ?"
JUSTE APRÈS, IL A DÉMISSIONNÉ.
Riad Sattouf

Riad Sattouf

La vie secrète des jeunes
VU ET ENTENDU À PARIS, DANS LE MÉTRO LIGNE 9...
MA MÈRE ELLE ME DCHIT : "VA VOIR LE PROVISEUR ET NIQUE LUI SA MÈRE, IL A PAS À EXCLURE ABDOU."
ALORS JE CHOPPE LE PROVISEUR DANS LA COUR ET J'LUI DCHIS "CHUIS LA SOEUR D'ABDOU, 4e C, VOUS AVEZ PAS L'DROIT D'L'EXCLURE À CAUSE DE SES NATTES, MONTREZ-MOI OÙ C'EST ÉCRIT DANS L'RÉGLEMENT."
IL A DIT KOI ?
Y FAIT "MAIS DE QUOI PARLEZ-VOUS, JE SUIS PRESSÉ..." MAIS MOI, JE SAIS QU'C'EST POUR ME TESTER, RAPPORT À L'EMBROUILLE AVEC LA PROF DE MATHS OÙ ELLE M'AVAIT MAL PARLÉ, OÙ J'ÉTAIS SORTCHIE DE LA CLASSE ET APRÈS J'AVAIS FAIT UNE PLAINTE AU PROF PRINCIPAL
AH OUAIS
MUAAH
OUAIS, ALORS BREF, Y FAIT GENRE "ON VERRA PLUS TARD", ET LÀ J'LUI FAIS "NAN, MAINTENANT VOUS ALLEZ M'ÉCOUTER". ALORS Y M'REGARDE ET J'FAIS "JE SAIS TRÈS BIEN C'QU'Y A ENTRE VOUS ET MOI RAPPORT À C'QUE VOUS SAVEZ, FAITES PAS SEMBLANT. NOS HISTOIRES, C'EST ENTRE NOUS, Y A PAS D'RAISON QUE MON PETCHIT FRÈRE Y PAIE POUR ÇA.
"C'EST PAS MARQUÉ DANS L'RÉGLEMENT QUE LES NATTES SONT INTERDCHITES EN COURS." EN PLUS C'EST PAS COMME SI C'ÉTAIT DES LOCKS TCHU VOIS, C'EST DES PETCHITES NATTES TROP BELLES COMME ÇA...
IL M'REGARDE APRÈS, Y FAIT : "C'EST KOI VOTRE NOM?" J'LUI FAIS "GENRE, VOUS AVEZ OUBLIÉ?" ET J'RIGOLE ET LÀ, MAIS JUSTE, IL PART, GENRE SAOULÉ.
HEY MAIS C'EST PAS RESPECTCHUEUX !
FRANCHEMENT, C'EST SCANDALEUX, T'EXCLUES PAS QUELQU'UN PARCE QU'IL PORTE DES PETCHITES NATTES DE RIEN DU TOUT, ET TU ÉCOUTES QUAND UN ÉLÈVE TE PARLE.
J'L'AI DCHIS À MA MÈRE APRÈS, ET ELLE ÉTAIT ULTRA VÉNÈRE, ELLE A PRIS RENDEZ-VOUS AVEC LUI ET LÀ, ELLE VA LUI NIQUER SA MÈRE... COMME J'AIMERAIS TROP PAS ÊTRE À SA PLACE HA HA
MOI NON PLUS HIHI
Riad Sattouf

La vie secrète des jeunes
VU ET ENTENDU À PARIS, DANS LE MÉTRO, LIGNE 9...
HEY MAIS
CHHH.
MAIS TU VAS
CHHT
TU VAS
CHUT!
DIS MOI
AH NON CHH!
MAIS
STOP!
VOILÀ : CHUT.
TOUJOURS : CHUT.
Riad Sattouf

Du même auteur à

L'Association

La Vie secrète des jeunes
(Collection Ciboulette, 2007)

Ma circoncision
(Collection Espôlette, 2008)

Manuel du puceau
(Collection Espôlette, 2009)

Soixante-Neuvième Volume de la Collection Ciboulette,
La Vie secrète des jeunes, Volume 2, de Riad Sattouf,
a été achevé d'imprimer en mars 2010
sur les presses de l'imprimerie Grafiche Milani, Italie.
Dépôt légal deuxième trimestre 2010.
ISBN 978-2-84414-395-2.